习近平新时代中国特色社会主义思想学习纲要

中共中央宣传部

学习出版社
人民出版社

中共中央关于印发《习近平新时代中国特色社会主义思想学习纲要》的通知

各省、自治区、直辖市党委，中央各部委，国家机关各部委党组（党委），解放军各大单位、中央军委机关各部门党委，各人民团体党组：

党的十九大把习近平新时代中国特色社会主义思想确立为党必须长期坚持的指导思想并写入党章，十三届全国人大一次会议通过的宪法修正案把习近平新时代中国特色社会主义思想载入宪法，实现了党和国家指导思想的与时俱进。习近平新时代中国特色社会主义思想，是对马克思列宁主义、毛泽东思想、邓小平理论、“三个代表”重要思想、科学发展观的继承和发展，是马克思主义中国化最新成果，是党和人民实践经验和集体智慧的结晶，是中国特色社会主义理论体系的重要组成部分，是全党全国人民为实现中华民族伟大复兴而奋斗的行动指南，必须长期坚持并不断发展。

为把学习贯彻习近平新时代中国特色社会主义思想进一步引向深入，根据党中央要求，中央宣传部组织编写了《习近平新时代中国特色社会主义思想学习纲要》(以下简称《纲要》)。党中央认为，《纲要》对习近平新时代中国特色社会主义思想作了全面系统阐述，有助于更好地理解把握这一思想的基本精神、基本内容、基本要求。党中央同意印发《纲要》(由中央宣传部统一印发)，作为广大干部群众深入学习领会习近平新时代中国特色社会主义思想的重要辅助读物。

各级党委（党组）要坚持不懈用习近平新时代中国特色社会主义思想武装头脑、指导实践、推动工作。要组织全体党员认真读原著、学原文、悟原理，并紧密结合“不忘初心、牢记使命”主题教育，把《纲要》纳入学习计划，作出周密安排，开展多形式、分层次、全覆盖的学习培训。要在多思多想、学深悟透上下功夫，深入学习领会这一思想的时代意义、理论意义、实践意义、世界意义，深刻理解其核心要义、精神实质、丰富内涵、实践要求；在系统全面、融会贯通上下功夫，深刻把握这一思想贯穿的马克思主义立场观点方法，知其然又知其所以然，不断提高马克思主义理论水平；在知行合一、学以致用上下功夫，大力弘扬理论联系实际的优良学风，更加自觉用这一思想指导解决实际问题，切实把学习成效转化为做好本职工作、推动事业发展的生动实践。

要通过广泛的学习宣传阐释工作，推动习近平新时代中国特色社会主义思想进一步深入人心、落地生根，引导广大干部群众增强“四个意识”、坚定“四个自信”、做到“两个维护”，在思想上政治上行动上同以习近平同志为核心的党中央保持高度一致，为决胜全面建成小康社会、夺取新时代中国特色社会主义伟大胜利、实现中华民族伟大复兴的中国梦不懈奋斗。

中共中央

2019 年 6 月

（此件公开发布）

目 录

习近平新时代中国特色社会主义思想是党和国家必须长期坚持的指导思想

（1）中国共产党第十九次全国代表大会，把习近平新时代中国特色社会主义思想确立为党必须长期坚持的指导思想并庄严地写入党章，实现了党的指导思想的与时俱进。这是一个历史性决策和历史性贡献，体现了党在政治上理论上的高度成熟、高度自信。第十三届全国人民代表大会第一次会议通过的宪法修正案，郑重地把习近平新时代中国特色社会主义思想载入宪法，实现了国家指导思想的与时俱进，反映了全国各族人民共同意志和全社会共同意愿。习近平新时代中国特色社会主义思想，是新时代中国共产党的思想旗帜，是国家政治生活和社会生活的根本指针，是当代中国马克思主义、二十一世纪马克思主义。

（2）时代是思想之母，实践是理论之源。当代中国正经历着我国历史上最为广泛而深刻的社会变革，也正在进行着人类历史上最为宏大而独特的实践创新。中国特色社会主义进入新时代，这是一个需要理论而且一定能够产生理论的时代，是一个需要思想而且一定能够产生思想的时代。

当今世界正在经历百年未有之大变局。世界多极化、经济全球化、社会信息化、文化多样化深入发展，全球治理体系和国际秩序变革加速推进，新兴市场国家和发展中国家快速崛起，国际力量对比更趋均衡，世界各国人民的命运从未像今天这样紧紧相连。同时，世界面临的不稳定性不确定性突出，世界经济增长乏力，贸易保护主义、孤立主义、民粹主义等思潮不断抬头，贫富分化日益严重，地区热点问题此起彼伏，恐怖主义、网络安全、重大传染性疾病、气候变化等非传统安全威胁持续蔓延。世界怎么了？应该怎么办？在这样大发展大变革大调整的背景下，以习近平同志为核心的党中央，为解决世界经济、国际安全、全球治理等一系列重大问题提供了新的方向、新的方案、新的选择。中国发展理念、发展道路、发展模式的影响力、吸引力显著增强，中国日益发挥着世界和平建设者、全球发展贡献者、国际秩序维护者的重要作用，前所未有地走近世界舞台中央。习近平新时代中国特色社会主义思想，正是在把握世界发展大势、应对全球共同挑战、维护人类共同利益的过程中创立并不断丰富发展的。

当代中国正处于近代以来最好的发展时期。在新中国成立以来特别是改革开放以来取得的重大成就基础上，我国发展站到了新的历史起点上。社会生产力水平总体上显著提高，国家经济实力、科技实力、国防实力、综合国力、国际影响力显著提升。我们具备过去难以想象的良好发展条件，但也面临着许多前所未有的困难和挑战。以习近平同志为核心的党中央，以巨大的政治勇气和强烈的责任担当，提出一系列新理念新思想新战略，出台一系列重大方针政策，推出一系列重大举措，推进一系列重大工作，解决了许多长期想解决而没有解决的难题，办成了许多过去想办而没有办成的大事，推动党和国家事业取得历史性成就、发生历史性变革。习近平新时代中国特色社会主义思想，正是在中华民族迎来从站起来、富起来到强起来的伟大飞跃中创立并不断丰富发展的。

中国共产党在革命性锻造中坚定走在时代前列。历史和现实一再证明，一个执政党进行社会革命不容易，进行自我革命更不容易，而不进行自我革命就必然被历史所淘汰。一路走来，我们党在带领人民进行伟大社会革命的同时，不断进行伟大自我革命，这是我们党不断从胜利走向新的胜利的关键所在。一个时期以来，一些地方和单位管党不力、治党不严，导致党内问题越积越多，严重损害党的形象、侵蚀党的执政基础。以习近平同志为核心的党中央，勇于面对党面临的重大风险考验和党内存在的突出问题，以顽强意志品质正风肃纪、反腐惩恶，消除了党和国家内部存在的严重隐患，实现了管党治党从宽松软到严紧硬的深刻转变，党内政治生活气象更新，党内政治生态明显好转，党的创造力、凝聚力、战斗力显著增强，党的团结统一更加巩固，党群关系明显改善，为党和国家事业发展提供了坚强政治保证。习近平新时代中国特色社会主义思想，正是在不断推进党的自我革命，实现党自我净化、自我完善、自我革新、自我提高的过程中创立并不断丰富发展的。

科学社会主义在二十一世纪的中国焕发出强大生机活力。社会主义在中国的实践发展，推动中华民族实现了历史上最广泛、最深刻、最伟大的社会变革。二十世纪八十年代末九十年代初，世界社会主义遭受严重曲折。有人宣称“二十世纪将以社会主义的失败和资本主义的胜利而告终”，还有人妄称社会主义中国也将随着“多米诺骨牌效应”而倒下。但我们挺直了腰杆，顶住了冲击，经受住了考验，科学社会主义在曲折中奋起。进入新时代，以习近平同志为核心的党中央，带领全党全国人民推动中国特色社会主义事业取得举世瞩目的伟大成就，以不可辩驳的事实彰显了科学社会主义的鲜活生命力。中国特色社会主义道路越走越宽广，使世界上正视和相信马克思主义和社会主义的人多了起来，使世界范围内两种意识形态、两种社会制度的历史演进及其较量，发生了有利于马克思主义、社会主义的深刻转变。这不仅对于社会主义在中国的发展，而且对于世界社会主义发展和人类进步，都是具有深远历史意义的大趋势。习近平新时代中国特色社会主义思想，正是在对科学社会主义理论与实践的深邃思考、深刻总结，对坚持和发展中国特色社会主义的不懈探索、砥砺前行中创立并不断丰富发展的。

新时代孕育新思想，新思想指导新实践。党的十八大以来，党和国家事业之所以取得全方位、开创性历史成就，发生深层次、根本性历史变革，根本在于以习近平同志为核心的党中央的坚强领导，根本在于习近平新时代中国特色社会主义思想的科学指导。

（3）中国共产党是一贯重视理论指导和勇于进行理论创新的马克思主义政党，在领导中国革命、建设、改革的长期实践中，始终坚持把马克思主义基本原理同中国具体实际和时代特征相结合，不断推进马克思主义中国化时代化大众化，不断开辟马克思主义发展新境界。

以毛泽东同志为主要代表的中国共产党人，把马克思列宁主义的基本原理同中国革命的具体实践结合起来，创立了毛泽东思想。毛泽东思想是被实践证明了的关于中国革命和建设的正确的理论原则和经验总结，是马克思列宁主义在中国的运用和发展。

以邓小平同志为主要代表的中国共产党人，解放思想，实事求是，开辟了社会主义事业发展的新时期，逐步形成了建设中国特色社会主义的路线、方针、政策，阐明了在中国建设社会主义、巩固和发展社会主义的基本问题，创立了邓小平理论。

以江泽民同志为主要代表的中国共产党人，在建设中国特色社会主义的伟大实践中，加深了对什么是社会主义、怎样建设社会主义和建设什么样的党、怎样建设党的认识，积累了治党治国新的宝贵经验，形成了“三个代表”重要思想。

以胡锦涛同志为主要代表的中国共产党人，坚持以邓小平理论和“三个代表”重要思想为指导，根据新的发展要求，深刻认识和回答了实现什么样的发展、怎样发展等重大问题，形成了以人为本、全面协调可持续发展的科学发展观。

党的十八大以来，以习近平同志为主要代表的中国共产党人，顺应时代发展，从理论和实践结合上系统回答了新时代坚持和发展什么样的中国特色社会主义、怎样坚持和发展中国特色社会主义这个重大时代课题，创立了习近平新时代中国特色社会主义思想。习近平新时代中国特色社会主义思想是对马克思列宁主义、毛泽东思想、邓小平理论、“三个代表”重要思想、科学发展观的继承和发展，是马克思主义中国化最新成果，是党和人民实践经验和集体智慧的结晶，是中国特色社会主义理论体系的重要组成部分，是全党全国人民为实现中华民族伟大复兴而奋斗的行动指南，必须长期坚持并不断发展。

习近平总书记是习近平新时代中国特色社会主义思想的主要创立者。在领导全党全国各族人民推进党和国家事业的实践中，习近平总书记以马克思主义政治家、思想家、战略家的非凡理论勇气、卓越政治智慧、强烈使命担当，以“我将无我，不负人民”的赤子情怀，应时代之变迁、立时代之潮头、发时代之先声，提出一系列具有开创性意义的新理念新思想新战略，为习近平新时代中国特色社会主义思想的创立发挥了决定性作用、作出了决定性贡献。

（4）习近平新时代中国特色社会主义思想，坚持马克思主义立场观点方法，坚持科学社会主义基本原则，科学总结世界社会主义运动经验教训，根据时代和实践发展变化，以崭新的思想内容丰富和发展了马克思主义，形成了系统科学的理论体系。

习近平新时代中国特色社会主义思想内涵十分丰

富，涵盖新时代坚持和发展中国特色社会主义的总目标、总任务、总体布局、战略布局和发展方向、发展方式、发展动力、战略步骤、外部条件、政治保证等基本问题，并根据新的实践对经济、政治、法治、科技、文化、教育、民生、民族、宗教、社会、生态文明、国家安全、国防和军队、“一国两制”和祖国统一、统一战线、外交、党的建设等各方面作出新的理论概括和战略指引。

习近平新时代中国特色社会主义思想的核心内容是“八个明确”和“十四个坚持”。

“八个明确”，就是明确坚持和发展中国特色社会主义，总任务是实现社会主义现代化和中华民族伟大复兴，在全面建成小康社会的基础上，分两步走在本世纪中叶建成富强民主文明和谐美丽的社会主义现代化强国；明确新时代我国社会主要矛盾是人民日益增长的美好生活需要和不平衡不充分的发展之间的矛盾，必须坚持以人民为中心的发展思想，不断促进人的全面发展、全体人民共同富裕；明确中国特色社会主义事业总体布局是“五位一体”、战略布局是“四个全面”，强调坚定道路自信、理论自信、制度自信、文化自信；明确全面深化改革总目标是完善和发展中国特色社会主义制度、推进国家治理体系和治理能力现代化；明确全面推进依法治国总目标是建设中国特色社会主义法治体系、建设社会主义法治国家；明确党在新时代的强军目标是建设一支听党指挥、能打胜仗、作风优良的人民军队，把人民军队建设成为世界一流军队；明确中国特色大国外交要推动构建新型国际关系，推动构建人类命运共同体；明确中国特色社会主义最本质的特征是中国共产党领导，中国特色社会主义制度的最大优势是中国共产党领导，党是最高政治领导力量，提出新时代党的建设总要求，突出政治建设在党的建设中的重要地位。

“十四个坚持”，就是坚持党对一切工作的领导，坚持以人民为中心，坚持全面深化改革，坚持新发展理念，坚持人民当家作主，坚持全面依法治国，坚持社会主义核心价值体系，坚持在发展中保障和改善民生，坚持人与自然和谐共生，坚持总体国家安全观，坚持党对人民军队的绝对领导，坚持“一国两制”和推进祖国统一，坚持推动构建人类命运共同体，坚持全面从严治党。

“八个明确”、“十四个坚持”有机融合、有机统一，凝结着我们党坚持和发展中国特色社会主义的宝贵经验，反映了以习近平同志为核心的党中央对中国特色社会主义规律性认识的深化、拓展、升华，体现了理论与实际相结合、认识论和方法论相统一的鲜明特色。

习近平新时代中国特色社会主义思想，体系严整、逻辑严密、内涵丰富、博大精深，闪耀着马克思主义真理光辉。这一思想贯通马克思主义哲学、政治经济学、科学社会主义，贯通历史、现实和未来，贯通改革发展稳定、内政外交国防、治党治国治军等各领域，既坚持了老祖宗，又讲了很多新话，使我们党对共产党执政规律、社会主义建设规律、人类社会发展规律的认识达到了新高度，为发展马克思主义作出了原创性贡献。

（5）习近平新时代中国特色社会主义思想，充满着对马克思主义的坚定信仰，充满着对社会主义和共产主义的坚定信念，展现了当代中国共产党人的政治品格、价值追求、精神风范。

为人民谋幸福、为民族谋复兴、为世界谋大同，是深刻理解和全面把握习近平新时代中国特色社会主义思想的金钥匙。这一思想坚守中国共产党人为人民谋幸福的初心，坚持人民主体地位，坚持一切为了人民、一切依靠人民，彰显了人民是历史的创造者、人民是真正英雄的唯物史观，彰显了以人为本、人民至上的价值取向，彰显了立党为公、执政为民的执政理念。这一思想承载中国共产党人为民族谋复兴的使命，擘画实现民族复兴中国梦的宏伟蓝图，高扬中华民族伟大创造精神、伟大奋斗精神、伟大团结精神、伟大梦想精神，传承和弘扬中华优秀传统文化，为实现中华民族伟大复兴提供了强大精神力量。这一思想担当中国共产党人为世界谋大同的责任，饱含对人类发展重大问题的睿智思考和独特创见，洞察时代风云，把握时代脉搏，引领时代潮流，为应对全球共同挑战、共同问题提供了中国智慧和中国方案，为推动构建人类命运共同体、维护人类共同利益和共同价值作出了重要贡献。

解放思想、实事求是、与时俱进，是马克思主义活的灵魂，也是习近平新时代中国特色社会主义思想活的灵魂。习近平新时代中国特色社会主义思想，植根于坚持和发展中国特色社会主义新的伟大实践，坚持理论指导和实践探索相统一，在指导实践、推动实践中展现出强大真理力量和独特思想魅力。习近平新时代中国特色社会主义思想是不断发展的开放的理论，在指导新时代伟大社会革命和伟大自我革命的历史进军中，必将随着中国特色社会主义伟大实践的深入推进而持续发展、不断丰富、更加完善。

（6）在当代中国，坚持和发展习近平新时代中国特色社会主义思想，就是真正坚持和发展马克思主义，就是真正坚持和发展科学社会主义。必须高举马克思主义、中国特色社会主义伟大旗帜不动摇，必须坚持习近平新时代中国特色社会主义思想指导地位不动摇！

一、中国特色社会主义进入新时代

——关于我国发展新的历史方位

1. 新时代标示我国发展新的历史方位

（7）社会主义从来都是在奋勇开拓中前进的，必定随着形势和条件的变化而不断向前发展。习近平总书记指出："经过长期努力，中国特色社会主义进入了新时代，这是我国发展新的历史方位。"这一重大政治论断，赋予党的历史使命、理论遵循、目标任务以新的时代内涵，为我们深刻把握当代中国发展的新阶段新特征，科学制定党的路线方针政策提供了时代坐标和基本依据。

时代的发展有一个从量变到质变的过程，在量变中蕴含和孕育着质变，质变是量变的必然结果，同时又开启新的量变。回顾党领导人民的奋斗历程，革命也好，建设也好，改革也好，都经历了从量的积累到质的飞跃的不同发展阶段。坚持和发展中国特色社会主义，必须把握时代特点、直面时代课题，在体现时代性、把握规律性、富于创造性中不断展现蓬勃的生机活力。

（8）明确中国特色社会主义进入新时代，这是我们党在科学把握世情国情党情深刻变化的基础上，作出的一项关系全局的重大战略考量，进一步彰显了中国共产党与时代共同进步的先进性本色，体现了把握历史规律和历史趋势的高度自觉和高度自信。

从发展阶段看，党的十八大以来，改革开放和社会主义现代化建设取得历史性成就，我国发展站到了新的历史起点上，中国特色社会主义进入新的发展阶段。党的理论创新实现了新飞跃，党的执政方式和执政方略有重大创新，发展理念和发展方式有重大转变，发展环境和发展条件有重大变化，发展水平和发展要求变得更高。从社会主要矛盾看，我国社会主要矛盾已经由人民日益增长的物质文化需要同落后的社会生产之间的矛盾，转化为人民日益增长的美好生活需要和不平衡不充分的发展之间的矛盾。这一重大历史性变化，对发展全局产生了广泛而深刻的影响。从奋斗目标看，党的十九大到二十大是“两个一百年”奋斗目标的历史交汇期，我们既要全面建成小康社会、实现第一个百年奋斗目标，又要乘势而上开启全面建设社会主义现代化国家新征程，向第二个百年奋斗目标进军。从国际地位看，当代中国正处在从大国走向强国的关键时期，已不再是国际秩序的被动接受者，而是积极的参与者、建设者、引领者。世界对中国的关注，从未像今天这样广泛、深切、聚焦；中国对世界的影响，也从未像今天这样全面、深刻、长远。这些重大变化，都需要从新的历史方位、新的时代坐标来科学认识和全面把握。

历史车轮滚滚向前，时代潮流浩浩荡荡。一个国家、一个民族要振兴，就必须在历史前进的逻辑中前进、在时代发展的潮流中发展。中国特色社会主义进入新时代，是新中国成立以来特别是改革开放以来我国社会发展进步的必然结果，是我国社会主要矛盾变化的必然结果，也是我们党团结带领全国各族人民开创光明未来的必然要求。

（9）中国特色社会主义进入新时代，在中华人民共和国发展史上、中华民族发展史上具有重大意义，在世界社会主义发展史上、人类社会发展史上也具有重大意义。这意味着，近代以来久经磨难的中华民族迎来了从站起来、富起来到强起来的伟大飞跃，迎来了实现中华民族伟大复兴的光明前景。这意味着，科学社会主义在二十一世纪的中国焕发出强大生机活力，在世界上高高举起了中国特色社会主义伟大旗帜。这意味着，中国特色社会主义道路、理论、制度、文化不断发展，拓展了发展中国家走向现代化的途径，给世界上那些既希望加快发展又希望保持自身独立性的国家和民族提供了全新选择，为解决人类问题贡献了中国智慧和中国方案。

2. 新时代是中国特色社会主义新时代

（10）习近平总书记强调，“新时代是中国特色社会主义新时代，而不是别的什么新时代”。这个新时代，既同改革开放以来的发展历程一脉相承，又体现了很多与时俱进的新特征，内涵丰富、意蕴深远。

这个新时代，是承前启后、继往开来、在新的历史条件下继续夺取中国特色社会主义伟大胜利的时代。我们党带领人民成功开创、发展了中国特色社会主义道路，创造了一个个举世瞩目的中国奇迹。在新时代，我们党治国理政第一位的任务，就是紧紧围绕坚持和发展中国特色社会主义这个主题，适应中国特色社会主义发展的新要求，接力探索，接续奋斗，让社会主义在中国展现出更加强大的生命力。

这个新时代，是决胜全面建成小康社会、进而全面建设社会主义现代化强国的时代。党的十九大提出在全面建成小康社会的基础上，分两步走在本世纪中叶建成社会主义现代化强国的战略安排。在新时代，要坚忍不拔、锲而不舍，统筹推进“五位一体”总体布局，协调推进“四个全面”战略布局，贯彻落实党中央各项部署，确保决胜全面建成小康社会圆满收官，并在此基础上谱写全面建设社会主义现代化国家新篇章。

这个新时代，是全国各族人民团结奋斗、不断创造美好生活、逐步实现全体人民共同富裕的时代。带领人民创造美好生活、实现共同富裕，是我们党矢志不渝的奋斗目标。在新时代，要时刻不忘初心，始终把实现好、维护好、发展好最广大人民根本利益作为最高标准，不断提高保障和改善民生水平，不断促进社会公平正义，着力使全体人民享有更加幸福安康的生活，着力在实现全体人民共同富裕上取得实实在在的新进展。

这个新时代，是全体中华儿女勠力同心、奋力实现中华民族伟大复兴中国梦的时代。实现中华民族伟大复兴，是中国共产党的历史使命。新中国的成立，为民族复兴奠定坚实基础。改革开放新的伟大革命，为民族复兴注入强大生机活力。在新时代，凝聚起全体中华儿女同心共筑中国梦的磅礴力量，牢记使命、奋发有为、砥砺前行，就一定能够到达民族复兴的光辉彼岸。

这个新时代，是我国日益走近世界舞台中央、不断为人类作出更大贡献的时代。中国人民历来把自己的前途命运同各国人民的前途命运紧密联系在一起，中国共产党始终把为人类作出新的更大的贡献作为自己的使命。在新时代，中国与世界的关系发生深刻变化，我国同国际社会的互联互动空前紧密，成为促进世界和平与发展的强大力量。必须统筹国内国际两个大局，坚持和平发展道路，推动构建人类命运共同体。

3. 我国社会主要矛盾变化是关系全局的历史性变化

（11）习近平总书记指出："中国特色社会主义进入新时代，我国社会主要矛盾已经转化为人民日益增长的美好生活需要和不平衡不充分的发展之间的矛盾。"这一重大政治论断，反映了我国社会发展的客观实际，指明了解决当代中国发展主要问题的根本着力点，丰富发展了马克思主义关于社会矛盾的学说。

人类社会是在矛盾运动中不断向前发展的，社会主要矛盾是各种社会矛盾的主要根源和集中反映，在社会矛盾运动中居于主导地位。抓住主要矛盾带动全局工作，是唯物辩证法的要求，也是我们党一贯倡导和坚持的方法。推动党和国家事业不断向前发展，必须找准我国社会的主要矛盾。

关于我国社会主要矛盾的提法，一九五六年党的八大指出："我们国内的主要矛盾，已经是人民对于建立先进的工业国的要求同落后的农业国的现实之间的矛盾，已经是人民对于经济文化迅速发展的需要同当前经济文化不能满足人民需要的状况之间的矛盾。"这个论断，是符合当时我国实际的。但是后来发生"左"的错误，背离了党的八大关于我国社会主要矛盾的正确判断。改革开放以后，我们党在对历史经验和我国国情作出科学分析的基础上，对党的八大关于社会主要矛盾的提法作了进一步概括，提出我国社会的主要矛盾是"人民日益增长的物质文化需要同落后的社会生产之间的矛盾"。我们党根据这一论断制定和坚持了正确的路线方针政策，推动中国特色社会主义事业取得了巨大成就。

（12）随着改革开放的深入推进，随着中国特色社会主义的深入发展，我国社会主要矛盾发生了重大变化。我国稳定解决了十几亿人的温饱问题，总体上实现小康，不久将全面建成小康社会，人民美好生活需要日益广泛，不仅对物质文化生活提出了更高要求，而且在民主、法治、公平、正义、安全、环境等方面的要求日益增长。

同时，我国社会生产力水平总体上显著提高，社会生产能力在很多方面进入世界前列，更加突出的问题是发展不平衡不充分。发展不平衡，主要指各区域各领域各方面发展不够平衡，存在“一条腿长、一条腿短”的失衡现象，制约了整体发展水平提升。发展不充分，主要指一些地区、一些领域、一些方面还存在发展不足的问题，发展的任务仍然很重。发展不平衡不充分问题，已经成为满足人民日益增长的美好生活需要的主要制约因素。发展是动态过程，不平衡不充分是永远存在的，平衡是相对的，但当发展到了一定阶段后不平衡不充分成为社会主要矛盾的主要方面时，就必须下功夫去认识它、解决它，否则就会制约发展全局。

（13）我国社会主要矛盾的变化是关系全局的历史性变化，对党和国家工作提出了许多新要求。要在继续推动发展的基础上，着力解决好发展不平衡不充分问题，大力提升发展质量和效益，更好满足人民在经济、政治、文化、社会、生态等方面日益增长的需要，更好推动人的全面发展、社会全面进步。

我国社会主要矛盾的变化，没有改变我们对我国社会主义所处历史阶段的判断，我国仍处于并将长期处于社会主义初级阶段的基本国情没有变，我国是世界最大发展中国家的国际地位没有变。要牢牢把握社会主义初级阶段这个基本国情，牢牢立足社会主义初级阶段这个最大实际，牢牢坚持党的基本路线，既不落后于时代，也不能脱离实际、超越阶段。

（14）新时代是奋斗者的时代。新时代属于每一个人，每一个人都是新时代的见证者、开创者、建设者。

今天，我们实现了从“赶上时代”到“引领时代”的伟大跨越。要不忘初心、牢记使命，以永不懈怠的精神状态和一往无前的奋斗姿态，一以贯之坚持和发展中国特色社会主义，一以贯之推进党的建设新的伟大工程，一以贯之增强忧患意识、防范风险挑战，开新局于伟大的社会革命，强体魄于伟大的自我革命，在广袤国土上继续书写近十四亿中国人民伟大奋斗的历史新篇章。

二、当代中国发展进步的根本方向

——关于新时代坚持和发展中国特色社会主义

1. 中国特色社会主义是历史的结论、人民的选择

（15）道路决定命运，道路就是党的生命。我们党和人民在长期实践探索中，坚持独立自主走自己的路，取得革命、建设、改革伟大胜利，开创和发展了中国特色社会主义，从根本上改变了中国人民和中华民族的前途命运。

只有社会主义才能救中国，只有中国特色社会主义才能发展中国，只有坚持和发展中国特色社会主义才能实现中华民族伟大复兴。

（16）江河万里总有源，树高千尺也有根。习近平总书记指出："中国特色社会主义不是从天上掉下来的，是党和人民历尽千辛万苦、付出巨大代价取得的根本成就。"中国特色社会主义开创于改革开

放新时期，建立在我们党九十多年长期奋斗基础上，而其思想、理论和实践的源头，则可追溯到更远。要了解中国特色社会主义形成和发展的脉络，更加充分地认识其历史必然性和科学真理性，应该拉长时间尺度，放在世界社会主义演进的历程中去把握。

社会主义五百年，经过了从空想到科学、从理论到实践、从一国实践到多国发展的历程。十九世纪中叶，马克思、恩格斯深入考察资本主义经济、政治、社会状况，批判继承德国古典哲学、英国古典政治经济学和法国、英国空想社会主义的合理成分，提出唯物史观和剩余价值学说，给社会主义思想奠定了科学理论基础，创立了科学社会主义，社会主义由此从空想走向科学。列宁把马克思主义基本原理同俄国具体实际相结合，领导十月革命取得成功，建立了世界上第一个社会主义国家，科学社会主义由此从理论走向实践。第二次世界大战结束后，一批社会主义国家诞生，特别是我们党领导人民建立了社会主义新中国，科学社会主义由此从一国实践走向多国发展。

以毛泽东同志为主要代表的中国共产党人，团结带领全党全国各族人民，经过长期浴血奋斗，完成了新民主主义革命，建立了中华人民共和国，确立了社会主义基本制度，完成了中华民族有史以来最为广泛而深刻的社会变革，为当代中国一切发展进步奠定了根本政治前提和制度基础。在探索过程中，虽然经历了严重曲折，但党在社会主义革命和建设中取得的独创性理论成果和巨大成就，为在新的历史时期开创中国特色社会主义提供了宝贵经验、理论准备、物质基础。

在改革开放历史新时期，以邓小平同志为主要代表的中国共产党人，作出把党和国家工作中心转移到经济建设上来、实行改革开放的历史性决策，深刻揭示社会主义本质，确立社会主义初级阶段基本路线，明确提出走自己的路、建设中国特色社会主义，科学回答了建设中国特色社会主义的一系列基本问题，成功开创了中国特色社会主义。以江泽民同志为主要代表的中国共产党人，在国内外形势十分复杂、世界社会主义出现严重曲折的严峻考验面前，捍卫了中国特色社会主义，确立了社会主义市场经济体制的改革目标和基本框架，确立了社会主义初级阶段的基本经济制度和分配制度，成功把中国特色社会主义推向二十一世纪。以胡锦涛同志为主要代表的中国共产党人，在全面建设小康社会进程中推进实践创新、理论创新、制度创新，强调坚持以人为本、全面协调可持续发展，成功在新的历史起点上坚持和发展了中国特色社会主义。

党的十八大以来，以习近平同志为核心的党中央，准确把握中国特色社会主义的历史新方位、时代新变化、实践新要求，科学回答当今时代和当代中国发展提出的重大理论和现实问题，推进中国特色社会主义事业总体布局和战略布局，确立新时代坚持和发展中国特色社会主义的基本方略，统揽伟大斗争、伟大工程、伟大事业、伟大梦想，推动中国特色社会主义进入了新时代。

（17）我们党领导人民进行社会主义建设，有改革开放前和改革开放后两个历史时期。这是两个相互联系又有重大区别的时期，但本质上都是我们党领导人民进行社会主义建设的实践探索。改革开放前的社会主义实践探索为改革开放后的社会主义实践探索积累了条件，改革开放后的社会主义实践探索是对前一个时期的坚持、改革、发展。不能用改革开放后的历史时期否定改革开放前的历史时期，也不能用改革开放前的历史时期否定改革开放后的历史时期。

正确处理改革开放前后两个历史时期的关系，不只是一个历史问题，更主要的是一个政治问题。这个重大政治问题处理不好，就会产生严重政治后果。要牢固树立正确历史观，既不能割断历史，也不能虚无历史，坚持做到新民主主义革命的胜利成果决不能丢失，社会主义革命和建设的成就决不能否定，改革开放和社会主义现代化建设的方向决不能动摇。

（18）抚今追昔，中国特色社会主义是在改革开放四十多年的伟大实践中得来的，是在新中国成立七十年的持续探索中得来的，是在我们党领导人民进行伟大社会革命九十多年的实践中得来的，是在近代以来中华民族由衰到盛一百七十多年的历史进程中得来的，是在世界社会主义五百年波澜壮阔的发展历程中得来的，是在对中华文明五千多年的传承发展中得来的。搞清楚世界社会主义思想的源头及其演进，搞清楚中国特色社会主义的历史发展，就能明白，我们党在推进革命、建设、改革的进程中，是怎样经过反复比较和总结，历史地选择了马克思主义、选择了社会主义道路；是怎样把马克思主义基本原理同中国实际和时代特征结合起来，独立自主走自己的路，迎来了中国特色社会主义从创立、发展到完善的伟大飞跃。

中国特色社会主义，是科学社会主义理论逻辑和中国社会发展历史逻辑的辩证统一，是当代中国大踏步赶上时代、引领时代发展的康庄大道，是中国共产党和中国人民团结的旗帜、奋进的旗帜、胜利的旗帜，必须倍加珍惜、长期坚持、永不动摇。

2. 中国特色社会主义是社会主义，不是别的什么主义

（19）习近平总书记指出：“中国特色社会主义，

既坚持了科学社会主义基本原则，又根据时代条件赋予其鲜明的中国特色。这就是说，中国特色社会主义是社会主义，不是别的什么主义。”

一个国家实行什么样的主义，关键要看这个主义能否解决这个国家面临的历史性课题。在中华民族积贫积弱、任人宰割的时期，各种主义和思潮都进行过尝试，资本主义道路没有走通，改良主义、自由主义、社会达尔文主义、无政府主义、实用主义、民粹主义、工团主义等也都“你方唱罢我登场”，但都没能解决中国的前途和命运问题。是马克思列宁主义、毛泽东思想引导中国人民走出了漫漫长夜、建立了新中国，是中国特色社会主义使中国快速发展起来了。

“鞋子合不合脚，自己穿了才知道。”道路走得怎么样，最终要用事实来说话、由人民来评判。改革开放以来，我们用几十年时间走完了发达国家几百年走过的工业化历程，使不可能成为了可能，推动我国综合国力和国际地位实现前所未有的提升，推动我国人民生活水平实现前所未有的提升，中华民族正以崭新姿态屹立于世界的东方。事实雄辩地证明：中国特色社会主义是根植于中国大地、反映中国人民意愿、适应中国和时代发展进步要求的科学社会主义。这条路，走得通、走得对、走得好。

（20）近些年来，国内外有些舆论提出中国现在搞的究竟还是不是社会主义的疑问，有人说是“资本社会主义”，还有人干脆说是“国家资本主义”、“新官僚资本主义”。这些都是完全错误的。

我们说中国特色社会主义是社会主义，那就是不论怎么改革、怎么开放，都始终坚持中国特色社会主义道路、理论、制度、文化，全面贯彻党的基本理论、基本路线、基本方略。这就包括在中国共产党领导下，立足基本国情，以经济建设为中心，坚持四项基本原则，坚持改革开放，解放和发展社会生产力，统筹推进“五位一体”总体布局，协调推进“四个全面”战略布局，促进人的全面发展，逐步实现全体人民共同富裕，建设富强民主文明和谐美丽的社会主义现代化强国；包括坚持人民代表大会制度的根本政治制度，中国共产党领导的多党合作和政治协商制度、民族区域自治制度以及基层群众自治制度等基本政治制度，中国特色社会主义法律体系，公有制为主体、多种所有制经济共同发展的基本经济制度；等等。这些都是在新的历史条件下体现科学社会主义基本原则的内容，如果丢掉了这些，那就不成其为社会主义了。

找到一条好的道路不容易，走好这条道路更不容易。过去，我们照搬过本本，也模仿过别人，有过迷茫，也有过挫折，一次次碰壁、一次次觉醒，一次次实践、一次次突破，最终走出了一条中国特色社会主义成功之路。现在，有些人议论这个道路、那个道路，有的想拉回到老路上，有的想引到邪路上去；有的是思想认识误区，有的是别有用心。

中国特色社会主义这条道路，我们看准了、认定了，必须坚定不移走下去。要始终保持清醒坚定，保持强大前进定力，既不走封闭僵化的老路，也不走改旗易帜的邪路，不为任何风险所惧，不为任何干扰所惑，真正做到“千磨万击还坚劲，任尔东西南北风”。

3. 中国特色社会主义事业总体布局和战略布局

（21）党的十八大以来，我们党形成并统筹推进经济建设、政治建设、文化建设、社会建设、生态文明建设“五位一体”总体布局，形成并协调推进全面建成小康社会、全面深化改革、全面依法治国、全面从严治党“四个全面”战略布局。“五位一体”总体布局和“四个全面”战略布局相互促进、统筹联动，从全局上确立了新时代坚持和发展中国特色社会主义的战略规划和部署。

中国特色社会主义事业总体布局，是我们党对社会主义建设规律在实践和认识上不断深化的重要成果。改革开放以来，随着经济社会发展和实践深入，从物质文明、精神文明“两个文明”，到经济、政治、文化建设“三位一体”，经济、政治、文化、社会建设“四位一体”，再到“五位一体”，这是重大理论和实践创新，更带来了发展理念和发展方式的深刻转变。“五位一体”各方面相互联系、相互促进、不可分割，共同构筑起中国特色社会主义事业的全局。要按照“五位一体”总体布局的整体性目标要求，坚持以经济建设为中心，促进经济、政治、文化、社会、生态文明建设各方面相协调，推动生产关系与生产力、上层建筑与经济基础相适应，推进中国特色社会主义事业全面发展、全面进步。

“四个全面”战略布局，是我们党站在新的历史起点上把握我国发展新特征确定的治国理政新方略，是新的时代条件下推进改革开放和社会主义现代化建设、坚持和发展中国特色社会主义的战略抉择。这一战略布局，是从我国发展现实需要中得出来的，是从人民群众的热切期待中得出来的，也是为推动解决我们面临的突出矛盾和问题提出来的。党的十八届三中、四中、五中、六中全会相继就全面深化改革、全面依法治国、全面建成小康社会、全面从严治党进行了专题研究，完成“四个全面”战略布局顶层设计。

“四个全面”战略布局既有战略目标又有战略举

措，每个“全面”相互之间具有紧密的内在逻辑，是一个整体战略部署的有序展开。全面建成小康社会是战略目标，在“四个全面”中居于引领地位；全面深化改革、全面依法治国、全面从严治党是三大战略举措，为如期全面建成小康社会提供重要保障。三大战略举措对实现全面建成小康社会战略目标一个都不能缺。不全面深化改革，发展就缺少动力，社会就没有活力。不全面依法治国，国家生活和社会生活就不能有序运行，就难以实现社会和谐稳定。不全面从严治党，党就做不到“打铁必须自身硬”，就难以发挥好领导核心作用。要深刻认识“四个全面”之间的有机联系，将其作为具有内在理论和实践逻辑关系的统一体来把握和理解，努力做到相辅相成、相互促进、相得益彰。

（22）面对新时代的新要求，必须坚持稳中求进工作总基调，统筹推进“五位一体”总体布局，协调推进“四个全面”战略布局，抓住战略重点，实现关键突破。要紧紧扭住全面建成小康社会这个战略目标不动摇，紧紧扭住全面深化改革、全面依法治国、全面从严治党三个战略举措不放松。在推动经济发展的基础上，建设社会主义市场经济、民主政治、先进文化、和谐社会、生态文明，协同推进人民富裕、国家强盛、中国美丽。

4. 坚定道路自信、理论自信、制度自信、文化自信

（23）改革开放以来，我们取得一切成绩和进步的根本原因，归结起来就是：开辟了中国特色社会主义道路，形成了中国特色社会主义理论体系，确立了中国特色社会主义制度，发展了中国特色社会主义文化。中国特色社会主义道路是实现途径，中国特色社会主义理论体系是行动指南，中国特色社会主义制度是根本保障，中国特色社会主义文化是精神力量，四者统一于中国特色社会主义伟大实践。这是中国特色社会主义最鲜明的特色，必须坚定道路自信、理论自信、制度自信、文化自信。

（24）中国特色社会主义道路是实现社会主义现代化、创造人民美好生活的必由之路，是实现中华民族伟大复兴的必由之路。这一道路，既坚持以经济建设为中心，又全面推进经济、政治、文化、社会、生态文明建设以及其他各方面建设；既坚持四项基本原则，又坚持改革开放；既不断解放和发展社会生产力，又逐步实现全体人民共同富裕、促进人的全面发展。

习近平总书记指出："当代中国的伟大社会变革，不是简单延续我国历史文化的母版，不是简单套用

马克思主义经典作家设想的模板，不是其他国家社会主义实践的再版，也不是国外现代化发展的翻版。”实践证明，中国特色社会主义道路是一条既符合中国国情，又适合时代发展要求并取得巨大成功的唯一正确道路。只有这条道路而没有别的道路，能够引领中国进步、增进人民福祉、实现民族复兴。

（25）中国特色社会主义理论体系是指导党和人民实现中华民族伟大复兴的正确理论，是立足时代前沿、与时俱进的科学理论。这一理论体系，包括邓小平理论、“三个代表”重要思想、科学发展观、习近平新时代中国特色社会主义思想。这一理论体系，紧密结合我国改革发展实际，紧密结合新的时代条件，既生动而具体地坚持了马克思列宁主义、毛泽东思想，又生动而具体地发展了马克思列宁主义、毛泽东思想，赋予马克思主义新的鲜活力量，写出了科学社会主义的“新版本”。

习近平总书记强调，马克思列宁主义、毛泽东思想一定不能丢，丢了就丧失根本。同时，一定要以我国改革开放和社会主义现代化建设的实际问题、以我们正在做的事情为中心，着眼于马克思主义理论的运用，着眼于对实际问题的理论思考，着眼于新的实践和新的发展，不断开辟马克思主义中国化新境界。

（26）中国特色社会主义制度是当代中国发展进

步的根本制度保障，是具有明显制度优势、强大自我完善能力的先进制度。这一制度，坚持把根本政治制度、基本政治制度同法律体系、基本经济制度以及各方面体制机制等具体制度有机结合起来，坚持把国家层面民主制度同基层民主制度有机结合起来，坚持把党的领导、人民当家作主、依法治国有机结合起来，既坚持了社会主义的根本性质，又借鉴了古今中外制度建设的有益成果，符合我国国情，集中体现了中国特色社会主义的特点和优势。

同时应当看到，中国特色社会主义制度是特色鲜明、富有效率的，但还不是尽善尽美、成熟定型的。中国特色社会主义事业不断发展，中国特色社会主义制度也需要不断完善。要坚持以实践基础上的理论创新推动制度创新，坚持和完善现有制度，从实际出发，及时制定一些新的制度，构建系统完备、科学规范、运行有效的制度体系，使各方面制度更加成熟更加定型。

（27）中国特色社会主义文化积淀着中华民族最深沉的精神追求，代表着中华民族独特的精神标识，是激励全党全国各族人民奋勇前进的强大精神力量。这一文化，源自于中华民族五千多年文明历史所孕育的中华优秀传统文化，熔铸于党领导人民在革命、建设、改革中创造的革命文化和社会主义先进文化，植根于中国特色社会主义伟大实践。

我们党将中国特色社会主义文化同中国特色社会主义道路、理论、制度一道，作为中国特色社会主义的重要组成部分，强调要坚定文化自信，充分体现了高度的文化自觉和文化担当。要坚持以马克思主义为指导，推动中华优秀传统文化创造性转化、创新性发展，继承革命文化，发展社会主义先进文化，不忘本来、吸收外来、面向未来，更好构筑中国精神、中国价值、中国力量，为人民提供精神指引。

（28）习近平总书记指出：“当今世界，要说哪个政党、哪个国家、哪个民族能够自信的话，那中国共产党、中华人民共和国、中华民族是最有理由自信的。”

中国特色社会主义道路、理论、制度、文化，是经过全党全国各族人民长期奋斗取得的，也是经过长期实践检验的科学的产物。我们的道路自信、理论自信、制度自信、文化自信，来源于实践、来源于人民、来源于真理。坚定“四个自信”，就能毫无畏惧面对一切困难和挑战，就能坚定不移开辟新天地、创造新奇迹。

5. 丰富和发展二十一世纪中国的马克思主义

（29）坚持和发展中国特色社会主义，必须增强理论自信和战略定力，对经过反复实践和比较得出的正确理论，要坚定不移坚持。同时，要根据时代变化和实践发展，在实现理论创新和实践创新良性互动中，不断丰富和发展二十一世纪中国的马克思主义。

马克思主义是科学的理论，它犹如壮丽的日出，照亮了人类探索历史规律和寻求自身解放的道路。在人类思想史上，没有一种理论能达到马克思主义的高度，也没有一种思想能像马克思主义那样对人类文明进步产生了如此广泛而深刻的影响。从《共产党宣言》发表到今天，无论时代如何变迁、科学如何进步，马克思主义依然显示出科学思想的伟力，依然占据着真理和道义的制高点。

中国共产党人是马克思主义的忠诚信奉者、坚定实践者。习近平总书记指出："马克思主义就是我们共产党人的'真经'，'真经'没念好，总想着'西天取经'，就要贻误大事！"在坚持马克思主义指导地位这一根本问题上，我们必须坚定不移，任何时候任何情况下都不能有丝毫动摇。

（30）任何科学理论和制度，必须本土化才能真正起到作用。我们党始终坚持把马克思主义基本原理同中国具体实际相结合，坚持用马克思主义中国化成果指导革命、建设、改革，取得了举世瞩目的伟大成就。马克思主义的命运早已同中国共产党的命运、中国人民的命运、中华民族的命运紧紧连在一起，它的科学性和真理性在中国得到了充分检验，它的人民性和实践性在中国得到了充分贯彻，它的开放性和时代性在中国得到了充分彰显。实践证明，历史和人民选择马克思主义是完全正确的，中国共产党把马克思主义写在自己的旗帜上是完全正确的，坚持不懈推进马克思主义中国化时代化大众化是完全正确的。

对待马克思主义，不能采取教条主义的态度，也不能采取实用主义的态度。什么都用马克思主义经典作家的语录来说话，马克思主义经典作家没有说过的就不能说，这不是马克思主义的态度。同样，根据需要找一大堆语录，什么事都说成是马克思、恩格斯当年说过了，生硬"裁剪"活生生的实践发展和创新，这也不是马克思主义的态度。与时代同步伐，与人民共命运，关注和回答时代和实践提出的重大课题，是马克思主义永葆生机活力的奥妙所在。要以科学的态度对待科学，以真理的精神追求真理，不断赋予马克思主义以新的时代内涵。

马克思主义是随着时代、实践、科学发展而不断发展的开放的理论体系，它并没有结束真理，而是开辟了通向真理的道路。当代中国发生了深刻变革，置身这一历史巨变之中的中国人更有资格、更有能力揭示其中所蕴含的历史经验和发展规律，为发展马克思主义作出中国的原创性贡献。要坚持用马克思主义观察时代、解读时代、引领时代，用宽广视野吸收人类创造的一切优秀文明成果，用鲜活丰富的当代中国实践来推动马克思主义发展，让二十一世纪中国的马克思主义展现出更强大、更有说服力的真理力量。

6. 新时代坚持和发展中国特色社会主义要一以贯之

（31）中国共产党的历史，就是一部党领导人民持续进行伟大社会革命的历史。习近平总书记指出："新时代中国特色社会主义是我们党领导人民进行伟大社会革命的成果，也是我们党领导人民进行伟大社会革命的继续，必须一以贯之进行下去。"

中国特色社会主义事业作为前无古人的开创性事业，前进道路不可能一帆风顺。要看到，经过几十年的理论和实践探索，我们对社会主义的认识，对中国特色社会主义规律的把握，已经达到了一个前所未有的新的高度，这一点不容置疑。同时要看到，我国社会主义还处在初级阶段，我们还面临很多没有弄清楚的问题和待解的难题，对许多重大问题的认识和处理都还处在不断深化的过程之中，这一点也不容置疑。对事物的认识需要一个过程，对社会主义这个在中国只实践了几十年的新事物，我们的认识和把握还非常有限。事业越发展、改革越深入，新情况新问题就会越多，面临的风险和挑战就会越多，面对的不可预料的事情就会越多。必须坚持马克思主义的发展观点，发挥历史的主动性和创造性，锐意进取、大胆探索，不断有所发现、有所创造、有所前进。

（32）坚持好、发展好中国特色社会主义，是无比崇高的事业，需要一代又一代中国共产党人带领人民接续奋斗。我们这一代共产党人的任务，就是要把新时代坚持和发展中国特色社会主义这场伟大社会革命进行好。要坚持以习近平新时代中国特色社会主义思想为指导，在实践中奋勇开拓、深化发展，不断丰富中国特色社会主义的实践特色、理论特色、民族特色、时代特色，在新的历史条件下把党和国家各项事业继续推向前进。

要全面把握中国特色社会主义进入新时代的新要求，更好把握国内外形势发展变化，更好贯彻党的理论和路线方针政策，不断提高党和国家事业发展水平。全面学习贯彻马克思主义中国化最新成果，自觉运用理论指导实践，使各方面工作更符合客观规律的要求，不断提高全党马克思主义理论水平。全面完成决胜全面建成小康社会各项任务，抓重点、补短板、强弱项，不断提高社会主义现代化建设水平。全面推进各领域各方面改革，不断推进理论创新、制度创新、科技创新、文化创新以及其他各方面创新，坚决破除一切不合时宜的思想观念和体制机制弊端，不断提高国家治理体系和治理能力现代化水平。全面落实以人民为中心的发展思想，坚持把人民群众关心的事当作自己的大事，多谋民生之利，多解民生之忧，不断提高保障和改善民生水平。全面推进党的建设新的伟大工程，按照新时代党的建设总要求，坚持和加强党的全面领导，不断提高全面从严治党水平。

历史和现实都告诉我们，一场社会革命要取得最终胜利，往往需要一个漫长的历史过程。昨天的成功并不代表着今后能够永远成功，过去的辉煌并不意味着未来可以永远辉煌。我们决不能因为胜利而骄傲，决不能因为成就而懈怠，决不能因为困难而退缩，必须勇于改革创新，勇于迎难而上，勇于担当尽责，不断交出新时代坚持和发展中国特色社会主义的合格答卷。

三、坚持以人民为中心

——关于新时代坚持和发展中国特色社会主义的根本立场

1. 永远把人民对美好生活的向往作为奋斗目标

（33）不忘初心，方得始终。为人民谋幸福，是中国共产党人的初心。习近平总书记指出：“人民对美好生活的向往，就是我们的奋斗目标。”必须始终把人民放在心中最高的位置，始终全心全意为人民服务，始终为人民利益和幸福而努力奋斗。

人民性是马克思主义最鲜明的品格。始终同人民在一起，为人民利益而奋斗，是马克思主义政党同其他政党的根本区别。中国共产党作为马克思主义政党，党性和人民性从来都是一致的、统一的，除了国家、民族、人民的利益，没有任何自己的特殊利益。不谋私利才能谋根本、谋大利，才能从党的性质和根本宗旨出发，从人民根本利益出发，全心全意为人民服务。

（34）纵观历史，我们党干革命、搞建设、抓改革，都是为人民谋利益，让人民过上好日子。党领导人民打土豪、分田地，是为人民根本利益而斗争；领导人民开展抗日战争、赶走日本侵略者，是为人民根本利益而斗争；领导人民推翻三座大山、建立新中国，是为人民根本利益而斗争；领导人民开展社会主义革命和建设、改变一穷二白的国家面貌，是为人民根本利益而斗争；领导人民实行改革开放、推进社会主义现代化、实现中华民族伟大复兴，同样是为人民根本利益而斗争。

对幸福生活的追求是推动人类文明进步最持久的力量。进入新时代，人民对美好生活的向往更加强烈，期盼有更好的教育、更稳定的工作、更满意的收入、更可靠的社会保障、更高水平的医疗卫生服务、更舒适的居住条件、更优美的环境、更丰富的精神文化生活，期盼孩子们能成长得更好、工作得更好、生活得更好。我们要永远保持共产党人的奋斗精神，永远保持对人民的赤子之心，始终把人民利益摆在至高无上的地位，始终同人民想在一起、干在一起，以人民忧乐为忧乐，以人民甘苦为甘苦，努力为人民创造更美好、更幸福的生活。

2. 依靠人民创造历史伟业

（35）人民是历史的创造者，人民是真正的英雄。

离开了人民，我们就会一事无成。只有坚持历史唯物主义这一基本原理，才能把握历史前进的基本规律；只有按历史规律办事，才能无往而不胜。

勤劳勇敢的中国人民是中华民族生生不息、发展壮大的脊梁。回望上下五千年，波澜壮阔的中华民族发展史是中国人民书写的，博大精深的中华文明是中国人民创造的，历久弥新的中华民族精神是中国人民培育的，中华民族迎来了从站起来、富起来到强起来的伟大飞跃是中国人民奋斗出来的。必须深刻认识人民群众是历史发展和社会进步的主体力量，紧紧依靠人民创造历史伟业。

（36）坚持人民主体地位，充分调动人民积极性，始终是我们党立于不败之地的强大根基。

老百姓是天，老百姓是地。中国共产党之所以能够发展壮大，中国特色社会主义之所以能够不断前进，正是因为依靠了人民。谋划发展，最了解实际情况的，是人民群众；推动改革，最大的依靠力量，也是人民群众。改革开放在认识和实践上的每一次突破和发展，改革开放中每一个新生事物的产生和发展，改革开放每一个方面经验的创造和积累，无不来自亿万人民的实践和智慧。无论遇到任何困难和挑战，只要有人民支持和参与，就没有克服不了的困难，就没有越不过去的坎，就没有完成不了的任务。

人民群众有着无尽的智慧和力量，在人民面前，我们永远是小学生。必须充分尊重人民所表达的意愿、所创造的经验、所拥有的权利、所发挥的作用，自觉拜人民为师，向能者求教，向智者问策。要把政治智慧的增长、执政本领的增强、领导艺术的提高深深扎根于人民群众的实践沃土中，不断从人民群众中吸取营养和力量。始终与人民心心相印、与人民同甘共苦、与人民团结奋斗，使全体人民都满腔热情地投身到建设祖国的美好未来和创造自己的幸福生活中去。

（37）习近平总书记指出：“时代是出卷人，我们是答卷人，人民是阅卷人。”

人民是我们党的工作的最高裁决者和最终评判者。党的执政水平和执政成效都不是由自己说了算，必须而且只能由人民来评判，最终都要看人民是否真正得到了实惠，人民生活是否真正得到了改善，人民权益是否真正得到了保障。在新时代，我们面临的挑战和问题依然严峻复杂，党面临的“赶考”远未结束。要坚持把人民拥护不拥护、赞成不赞成、高兴不高兴、答应不答应作为衡量一切工作得失的根本标准，努力向历史、向人民交出新的更加优异的答卷。

3. 朝着实现全体人民共同富裕不断迈进

（38）共同富裕，是马克思主义的一个基本目标。按照马克思、恩格斯的构想，共产主义社会将彻底消除阶级之间、城乡之间、脑力劳动和体力劳动之间的对立和差别，实行各尽所能、按需分配，真正实现社会共享、实现每个人自由而全面的发展。到那时，“生产将以所有的人富裕为目的”，“所有人共同享受大家创造出来的福利”。实现共同富裕，反映了社会主义的本质要求，体现了以人民为中心的根本立场。

我们党始终带领人民为创造美好生活、实现共同富裕而不懈奋斗。毛泽东同志在新中国成立之初就提出了我国发展富强的目标，指出“这个富，是共同的富，这个强，是共同的强，大家都有份”。邓小平同志多次强调共同富裕，指出“社会主义不是少数人富起来、大多数人穷，不是那个样子。社会主义最大的优越性就是共同富裕，这是体现社会主义本质的一个东西”。江泽民同志强调：“实现共同富裕是社会主义的根本原则和本质特征，绝不能动摇。”胡锦涛同志也要求“使全体人民共享改革发展成果，使全体人民朝着共同富裕的方向稳步前进”。

进入新时代，我们走上了创造美好生活、逐步实现全体人民共同富裕的新征程。习近平总书记指出，共同富裕是中国特色社会主义的根本原则，实现共同富裕是我们党的重要使命。他还强调，“我们追求的发展是造福人民的发展，我们追求的富裕是全体人民共同富裕”，要“让发展成果更多更公平惠及全体人民，不断促进人的全面发展，朝着实现全体人民共同富裕不断迈进”。

经过长期艰苦奋斗，我们党在实践中形成了先富带动后富、逐步实现共同富裕的规律性认识，推动人民生活质量和社会共享水平显著提升。粮票、布票、肉票、鱼票、油票、豆腐票、副食本、工业券等百姓生活曾经离不开的票证，已经进入了历史博物馆。忍饥挨饿、缺吃少穿、生活困顿这些几千年来困扰我国人民的问题总体上一去不复返了，中国人民迎来了从温饱不足到小康富裕的伟大飞跃。

（39）实现全体人民共同富裕的宏伟目标，最终靠的是发展。发展是基础，唯有发展才能满足人民对美好生活的热切向往。没有发展，没有扎扎实实的发展成果，共同富裕就无从谈起。

要毫不动摇坚持发展是硬道理、发展应该是科学发展和高质量发展的战略思想，举全民之力推进中国特色社会主义事业，不断把“蛋糕”做大。同时，还要在不断发展的基础上把促进社会公平正义的事情做好，把不断做大的“蛋糕”分好，让社会主义制度的优越性更加充分体现出来，让实现全体人民共同富裕在广大人民现实生活中更加充分展示出来。绝不能出现“富者累巨万，而贫者食糟糠”的现象。

实现全体人民共同富裕的目标需要一个很长的历史过程，是由一个一个阶段性目标逐步达成的。我国正处于并将长期处于社会主义初级阶段，我们不能做超越阶段的事情，但也不是说在逐步实现共同富裕方面就无所作为，而是要根据现有条件把能做的事情尽量做起来，积小胜为大胜，不断朝着全体人民共同富裕的目标前进。

4. 群众路线是党的生命线和根本工作路线

（40）习近平总书记指出：“群众路线是我们党的生命线和根本工作路线，是我们党永葆青春活力和战斗力的重要传家宝。”不论过去、现在和将来，我们都要坚持一切为了群众，一切依靠群众，从群众中来，到群众中去，把党的正确主张变为群众的自觉行动，把群众路线贯彻到治国理政全部活动之中。

坚持群众路线，核心的问题是党要始终保持同人民群众的血肉联系，一刻也不脱离群众。密切联系群众，是党的性质和宗旨的体现。我们党是在同人民群众的密切联系中成长、发展、壮大起来的，是靠宣传群众、组织群众、依靠群众起家，从胜利走向胜利的。党的最大政治优势是密切联系群众，党执政后的最大危险是脱离群众。能否保持党同人民群众的血肉联系，决定着党的事业的成败。要从政治的高度深刻认识密切联系群众的重要性，任何时候任何情况下，与人民群众同呼吸共命运的立场不能变，全心全意为人民服务的宗旨不能忘，坚信群众是真正英雄的历史唯物主义观点不能丢。

（41）群众路线是我们党始终坚持的根本工作方法。党的领导工作的正确方法，就是将群众意见集中起来形成正确的决策，又到群众中宣传解释，将决策化为群众的行动，并在群众实践中检验这些决策是否正确。

坚持走群众路线，绝不是喊喊口号走走过场，而是要诚心诚意、实打实做。要善于通过提出并贯彻正确的理论和路线方针政策带领人民前进，善于从人民的实践创造和发展要求中完善政策主张，善于从群众中寻找解决问题的方案和办法，使作出的决策和决策的执行充分体现民心民意。深入研究新形势下群众工作的规律和特点，把党的优良传统和新技术新手段结合起来，学会通过网络走群众路线，提高做好群众工作的本领。

贯彻党的群众路线，“知”是基础、是前提，“行”是重点、是关键。必须以知促行、以行促知，做到知行合一，既解决认识提高问题，又解决行动自觉问题，使群众路线落地稳、扎根深，融入经济社会发展全过程，贯穿到党的全部工作中。

四、实现中华民族伟大复兴的中国梦

——关于新时代坚持和发展中国特色社会主义的奋斗目标

1. 中华民族近代以来最伟大的梦想

（42）只有创造过辉煌的民族，才懂得复兴的意义；只有经历过苦难的民族，才对复兴有如此深切的渴望。

中华民族创造了灿烂的中华文明，为人类作出了卓越贡献，成为世界上伟大的民族。鸦片战争后，由于西方列强的入侵和封建统治的腐败，中国逐渐陷入半殖民地半封建社会的黑暗深渊，中国人民经历了战乱频仍、山河破碎、民不聊生的深重苦难。自强不息的中华民族从未放弃对美好梦想的向往和追求。

习近平总书记指出："实现中华民族伟大复兴，就是中华民族近代以来最伟大的梦想。"为了实现这个伟大梦想，中国人民和无数仁人志士进行了千辛万苦的探索和不屈不挠的斗争。可是，从太平天国运动、戊戌变法到义和团运动，一次次奋起抗争都失败了。孙中山先生领导的辛亥革命，虽然结束了统治中国几千年的君主专制制度，对推动中国社会进步具有重大意义，但也未能改变旧中国半殖民地半封建的社会性质和中国人民的悲惨命运。近代中国历史表明，旧式农民战争和软弱的资产阶级革命都不可能完成中华民族救亡图存和反帝反封建的历史任务，更不可能承担起实现民族复兴的历史使命。

中华民族追求梦想的道路艰难曲折。为了实现民族复兴，亿万人魂牵梦萦，几代人上下求索，奋勇不屈的中国人民在黑暗中艰难前行。直到以马克思主义为指导、勇担民族复兴大任的无产阶级政党——中国共产党登上历史舞台，中华民族才终于迎来凤凰涅槃、浴火重生的曙光。

2. 中国共产党义无反顾肩负起实现中华民族伟大复兴的历史使命

（43）历史的长河大浪淘沙，也彰显历史担当者的风采。谁能够承担起实现中华民族伟大复兴的历史使命，谁就能赢得中国人民的衷心拥护。

十月革命一声炮响，给中国送来了马克思列宁主义。中国先进分子从马克思列宁主义的科学真理中看到了解决中国问题的出路。在近代以后中国社会的剧烈运动中，在中国人民反抗封建统治和外来侵略的激烈斗争中，在马克思列宁主义同中国工人运动的结合过程中，中国共产党应运而生。从此，中国人民谋求民族独立、人民解放和国家富强、人民幸福的斗争就有了主心骨，中国人民就从精神上由被动转为主动。

中国共产党一经成立，就把实现共产主义作为党的最高理想和最终目标，义无反顾肩负起实现中华民族伟大复兴的历史使命。在九十多年波澜壮阔的历史进程中，无论是弱小还是强大，无论是顺境还是逆境，我们党都初心不改、矢志不渝，团结带领人民历经千难万险，付出巨大牺牲，敢于面对曲折，勇于修正错误，攻克了一个又一个看似不可攻克的难关，创造了一个又一个彪炳史册的人间奇迹，谱写了气吞山河的壮丽史诗。

（44）实现中华民族伟大复兴，必须推翻压在中国人民头上的帝国主义、封建主义、官僚资本主义三座大山，实现民族独立、人民解放、国家统一、社会稳定。我们党团结带领人民找到了一条以农村包围城市、武装夺取政权的正确革命道路，进行了二十八年浴血奋战，打败日本帝国主义，推翻国民党反动统治，完成了新民主主义革命，建立了中华人民共和国，实现了中国从几千年封建专制政治向人民民主的伟大飞跃。

实现中华民族伟大复兴，必须建立符合我国实际的先进社会制度。我们党团结带领人民完成社会主义革命，确立社会主义基本制度，推进社会主义建设，完成了中华民族有史以来最为广泛而深刻的社会变革，为当代中国一切发展进步奠定了根本政治前提和制度基础，实现了中华民族由近代不断衰落到根本扭转命运、持续走向繁荣富强的伟大飞跃。

实现中华民族伟大复兴，必须合乎时代潮流、顺应人民意愿，勇于改革开放，让党和人民事业始终充满奋勇前进的强大动力。我们党团结带领人民进行改革开放新的伟大革命，破除阻碍国家和民族发展的一切思想和体制障碍，极大激发广大人民群众的创造性，极大解放和发展社会生产力，极大增强社会发展活力，形成了中国特色社会主义道路、理论、制度、文化，使中国大踏步赶上时代。

（45）中国共产党领导中国人民取得的伟大胜利，使具有五千多年文明历史的中华民族全面迈向现代化，让中华文明在现代化进程中焕发出新的蓬勃生机；使具有五百年历史的社会主义主张在世界上人口最多的国家成功开辟出具有高度现实性和可行性的正确道路，让科学社会主义在二十一世纪焕发出新的蓬勃生机；使具有七十年历史的新中国建设取得举世瞩目的成就，中国这个世界上最大的发展中国家在短短三十多年里摆脱贫困并跃升为世界第二大经济体，彻底摆脱被开除球籍的危险，创造了人类社会历史上惊天动地的发展奇迹，使中华民族焕发出新的蓬勃生机。实现中华民族伟大复兴展现出无比灿烂的前景。

3. 中国梦的本质是国家富强、民族振兴、人民幸福

（46）实现中华民族伟大复兴的中国梦，就是要实现国家富强、民族振兴、人民幸福。这既深深体现了今天中国人的理想，也深深反映了中国人自古以来不懈追求进步的光荣传统。

中国梦视野宽广、内涵丰富、意蕴深远。国家富强，就是要全面建成小康社会，并在此基础上建设富强民主文明和谐美丽的社会主义现代化强国；民族振兴，就是要使中华民族更加坚强有力地自立于世界民族之林，为人类作出新的更大的贡献；人民幸福，就是要坚持以人民为中心，增进人民福祉，促进人的全面发展，朝着共同富裕方向稳步前进。中国梦把国家的追求、民族的向往、人民的期盼融为一体，体现了中华民族和中国人民的整体利益，表达了每一个中华

儿女的共同愿景，已成为激荡在近十四亿人心中的高昂旋律，成为中华民族团结奋斗的最大公约数和最大同心圆。

（47）中国梦归根到底是人民的梦，必须紧紧依靠人民来实现，必须不断为人民造福。人民是中国梦的主体，是中国梦的创造者和享有者。习近平总书记强调："中国梦不是镜中花、水中月，不是空洞的口号，其最深沉的根基在中国人民心中。"

中国人民是伟大的人民，素来有着深沉厚重的精神追求，具有伟大的梦想精神，即使近代以来饱尝屈辱和磨难，也绝不自甘沉沦，而是始终怀揣民族复兴的梦想，追求光明美好的未来。中国梦的深厚源泉在于人民，根本归宿也在于人民，只有同人民对美好生活的向往结合起来才能取得成功。

中国梦是国家的梦、民族的梦，也是每一个中华儿女的梦。"得其大者可以兼其小。"国家好、民族好，大家才会好。中国梦就是要让每个人获得发展自我和奉献社会的机会，共同享有人生出彩的机会，共同享有梦想成真的机会，共同享有同祖国和时代一起成长与进步的机会。只要每个人都把人生理想融入国家和民族的伟大梦想之中，把小我融入大我，敢于有梦、勇于追梦、勤于圆梦，就会汇聚起实现中国梦的强大力量。实现中华民族伟大复兴是海内外中华儿女的共同梦想，要团结一切可以团结的力量，共担民族复兴的责任，共享民族复兴的荣耀。

中国梦是中国人民追求幸福的梦，也同世界人民的梦想息息相通。“穷则独善其身，达则兼善天下。”这是中华民族始终崇尚的品德和胸怀。中国一心一意办好自己的事情，实现国家发展和稳定，既是对自己负责，也是为世界作贡献。中国人民深知，中国发展得益于国际社会，愿意同各国人民在实现各自梦想的过程中相互支持、相互帮助。中国将同国际社会一道，推动实现持久和平、共同繁荣的世界梦，为人类和平与发展的崇高事业作出新的更大的贡献！

4. 实现伟大梦想必须进行伟大斗争、建设伟大工程、推进伟大事业

（48）今天，我们比历史上任何时期都更接近、更有信心和能力实现中华民族伟大复兴的目标。习近平总书记指出：“行百里者半九十。中华民族伟大复兴，绝不是轻轻松松、敲锣打鼓就能实现的。全党必须准备付出更为艰巨、更为艰苦的努力。”

实现伟大梦想，必须进行伟大斗争。社会是在矛盾运动中前进的，有矛盾就会有斗争。我们党要团结带领人民有效应对重大挑战、抵御重大风险、克服重

大阻力、化解重大矛盾、解决重大问题，必须进行具有许多新的历史特点的伟大斗争。要牢牢掌握斗争主动权，发扬斗争精神、增强斗争本领，敢于斗争、善于斗争，在事关中国特色社会主义前途命运的大是大非问题上坚定不移，在改革发展稳定工作中敢于碰硬，在全面从严治党上敢于动硬，在维护国家核心利益上敢于针锋相对，不在困难面前低头，不在挑战面前退缩，不拿原则做交易，不在任何压力下吞下损害中华民族根本利益的苦果。充分认识这场伟大斗争的长期性、复杂性、艰巨性，到重大斗争一线去真枪真刀磨砺，以“踏平坎坷成大道，斗罢艰险又出发”的顽强意志，不断夺取伟大斗争新胜利。

实现伟大梦想，必须建设伟大工程。这个伟大工程就是我们党正在深入推进的党的建设新的伟大工程。历史已经并将继续证明，没有中国共产党的领导，民族复兴必然是空想。我们党要始终成为时代先锋、民族脊梁，始终成为马克思主义执政党，自身必须始终过硬。全党要更加自觉地坚定党性原则，勇于直面问题，敢于刮骨疗毒，消除一切损害党的先进性和纯洁性的因素，清除一切侵蚀党的健康肌体的病毒，确保我们党永葆旺盛生命力和强大战斗力，确保党在世界形势深刻变化的历史进程中始终走在时代前列，在应对国内外各种风险和考验的历史进程中始终成为全国人民的主心骨，在坚持和发展中国特色社会主义的历史进程中始终成为坚强领导核心。

实现伟大梦想，必须推进伟大事业。中国特色社会主义是改革开放以来党的全部理论和实践的主题。我们党紧紧依靠人民，从根本上改变了中国人民和中华民族的前途命运，不可逆转地结束了近代以后中国内忧外患、积贫积弱的悲惨命运，不可逆转地开启了中华民族不断发展壮大、走向伟大复兴的历史进军。全党要始终高举中国特色社会主义伟大旗帜，更加自觉地增强中国特色社会主义自信，不懈探索和把握中国特色社会主义规律，保持政治定力，坚持实干兴邦，始终坚持和发展中国特色社会主义。

（49）在近代以来漫长的历史进程中，中国人民经历了太多太多的磨难，付出了太多太多的牺牲，进行了太多太多的拼搏。现在，中国人民和中华民族在历史进程中积累的强大能量已经充分爆发出来了，为实现中华民族伟大复兴提供了势不可挡的磅礴力量。

伟大梦想不是等得来、喊得来的，而是拼出来、干出来的。在这个千帆竞发、百舸争流的时代，我们绝不能有半点骄傲自满、固步自封，也绝不能有丝毫犹豫不决、徘徊彷徨，必须统揽伟大斗争、伟大工程、伟大事业、伟大梦想，勇立潮头、奋勇搏击。中华民族伟大复兴的中国梦一定要实现，也一定能够实现。

五、开启全面建设社会主义现代化国家新征程

——关于新时代坚持和发展中国特色社会主义的战略安排

1. 建设社会主义现代化强国是我们党确立的伟大目标

（50）建设社会主义现代化强国，实现中华民族伟大复兴，是中华民族的最高利益和根本利益。我们党领导中国人民进行的一切奋斗，归根到底都是为了实现这一伟大目标。

新中国成立以后，我们党对社会主义现代化建设进行了艰辛探索。毛泽东同志提出，我们的任务“就是要安下心来，使我们可以建设我们国家现代化的工业、现代化的农业、现代化的科学文化和现代化的国防”。进入改革开放历史新时期，邓小平同志根据新

的实际和历史经验确立了我国实现社会主义现代化的正确道路。他指出："我们从八十年代的第一年开始，就必须一天也不耽误，专心致志地、聚精会神地搞四个现代化建设。""我们党在现阶段的政治路线，概括地说，就是一心一意地搞四个现代化。这件事情，任何时候都不要受干扰，必须坚定不移地、一心一意地干下去。"改革开放以来党的历次全国代表大会，都对推进社会主义现代化建设作出战略部署。在实践探索中，我们党取得了加快实现现代化、巩固和发展社会主义的一系列重大成果，极大推进了社会主义现代化建设的历史进程。

在新时代，围绕如何全面建设社会主义现代化这一重大问题，习近平总书记提出了一系列新思想新观点新要求。他指出，实现社会主义现代化和中华民族伟大复兴是坚持和发展中国特色社会主义的总任务，要在全面建成小康社会的基础上，分两步走全面建成社会主义现代化强国。他强调，"现代化的本质是人的现代化"，"我们要建设的现代化是人与自然和谐共生的现代化"，要"推进国家治理体系和治理能力现代化"，"要在坚持以经济建设为中心的同时，全面推进经济建设、政治建设、文化建设、社会建设、生态文明建设，促进现代化建设各个环节、各个方面协调发展"，等等。这些重大战略思想、重大理论观点、重大工作部署，极大深化了我们党对社会主义现代化建设规律的认识，有力指导和推动了我国社会主义现代化建设迈出坚实步伐。

（51）我国现代化同西方发达国家有很大不同。西方发达国家是一个“串联式”的发展过程，工业化、城镇化、农业现代化、信息化顺序发展，发展到目前水平用了二百多年时间。我们要后来居上，决定了我国发展必然是一个“并联式”的过程，工业化、信息化、城镇化、农业现代化是叠加发展的。新中国成立以来特别是改革开放以来，我国用几十年的时间，在发展的很多方面走过了西方发达国家上百年甚至数百年的发展历程。中国人民的成功实践昭示世人，通向现代化的道路不止一条，只要找准正确方向、驰而不息，条条大路通罗马。

中国实现现代化，是人类历史上前所未有的大变革。在人类现代化进程中，实现工业化的国家不超过三十个、人口不超过十亿。我们这个世界上最大发展中国家实现了现代化，意味着比现在所有发达国家人口总和还要多的中国人民将进入现代化行列，其影响将是世界性的。当我国成为世界上第一个不是走资本主义道路，而是走社会主义道路成功建成的现代化强国时，我们党领导人民在中国进行的伟大社会革命将更加充分地展示出其历史意义。

2. 决胜全面建成小康社会

（52）全面建成小康社会，是“两个一百年”奋斗目标的第一个百年奋斗目标，是我们党向人民、向历史作出的庄严承诺，是近十四亿中国人民的共同期盼。实现这个宏伟目标，标志着我们向全面建成社会主义现代化强国迈出了至关重要的一步。现在到了一鼓作气、决战决胜的历史时刻，要坚定信心、攻坚克难，确保到二〇二〇年全面建成小康社会。

党的十八大以来，以习近平同志为核心的党中央顺应我国经济社会新发展和广大人民群众新期待，提出了全面建成小康社会新的目标要求，赋予了“小康”更高的标准、更丰富的内涵。全面建成小康社会，意味着经济高质量发展、人民生活水平和质量普遍提高、国民素质和社会文明程度显著提高、生态环境质量总体改善、各方面制度更加成熟更加定型。

全面建成小康社会，强调的不仅是“小康”，更重要、更难做到的是“全面”。“小康”讲的是发展水平，“全面”讲的是发展的平衡性、协调性、可持续性。全面小康，是“五位一体”全面进步的小康，要求经济、政治、文化、社会、生态文明建设全面推进。任何一个方面发展滞后，都会影响全面建成小康社会目标的实现。全面小康，是惠及全体人民的小康。没有全民小康，就没有全面小康。全面小康的路上，一个都不能少。全面小康，是城乡区域共同的小康。农村特别是贫困地区，是全面小康最大的短板。没有农村和贫困地区的全面小康，就没有全国的全面小康。打赢脱贫攻坚战，是全面建成小康社会的底线任务。

全面建成小康社会，要实事求是、因地制宜。我国幅员辽阔，各地发展差距较大，生产力发展水平多层次，不可能是“同一水平小康”，完全没有差距是不可能的。全面建成小康社会，既要坚持一定标准，又要防止好高骛远；既要考虑到二〇二〇年这个时间节点，又要立足于打基础、谋长远、见成效。

（53）决胜全面建成小康社会，要紧扣我国社会主要矛盾变化，统筹推进经济建设、政治建设、文化建设、社会建设、生态文明建设，坚定实施科教兴国战略、人才强国战略、创新驱动发展战略、乡村振兴战略、区域协调发展战略、可持续发展战略、军民融合发展战略，坚决打好防范化解重大风险、精准脱贫、污染防治的攻坚战，使全面建成小康社会得到人民认可、经得起历史检验。

决胜阶段最为关键，冲锋时刻愈显奋勇。实现全面建成小康社会的宏伟目标，是我们的历史责任，也是我们的最大光荣。全党全国人民要拧成一股绳、立下愚公志、打赢攻坚战，如期全面建成高质量的小康社会，为全面建成社会主义现代化强国奠定更为牢靠的基础。中国人民将在全面解决温饱问题的基础上，普遍过上殷实宽裕的生活。这将是中国历史上亘古未有的伟大跨越，也是中国对人类社会的伟大贡献。

3. 分两步走全面建成社会主义现代化强国

（54）改革开放之后，我们党曾提出社会主义现代化建设“三步走”战略目标，即解决人民温饱问题、人民生活总体上达到小康水平、基本实现现代化。前两个目标已提前实现。在这个基础上，我们党提出，到中国共产党成立一百年时全面建成小康社会，然后再奋斗三十年，到新中国成立一百年时，基本实现现代化，把我国建成社会主义现代化国家。

（55）站在历史新的更高起点上，以习近平同志为核心的党中央综合分析国际国内形势和我国发展条件，对新时代推进社会主义现代化建设作出新的顶层设计，提出从二〇二〇年到本世纪中叶，在全面建成小康社会的基础上，分两步走全面建成社会主义现代化强国。从全面建成小康社会到基本实现现代化，再到全面建成社会主义现代化强国，是新时代中国特色社会主义发展的战略安排。

第一个阶段，从二〇二〇年到二〇三五年，在全面建成小康社会的基础上，再奋斗十五年，基本实现社会主义现代化。到那时，我国经济实力、科技实力将大幅跃升，跻身创新型国家前列；人民平等参与、平等发展权利得到充分保障，法治国家、法治政府、法治社会基本建成，各方面制度更加完善，国家治理体系和治理能力现代化基本实现；社会文明程度达到新的高度，国家文化软实力显著增强，中华文化影响更加广泛深入；人民生活更为宽裕，中等收入群体比例明显提高，城乡区域发展差距和居民生活水平差距显著缩小，基本公共服务均等化基本实现，全体人民共同富裕迈出坚实步伐；现代社会治理格局基本形成，社会充满活力又和谐有序；生态环境根本好转，美丽中国目标基本实现。

第二个阶段，从二〇三五年到本世纪中叶，在基本实现现代化的基础上，再奋斗十五年，把我国建成富强民主文明和谐美丽的社会主义现代化强国。到那时，我国物质文明、政治文明、精神文明、社会文明、生态文明将全面提升，实现国家治理体系和治理能力现代化，成为综合国力和国际影响力领先的国家，全体人民共同富裕基本实现，我国人民将享有更加幸福安康的生活，中华民族将以更加昂扬的姿态屹立于世界民族之林。

新时代“两步走”战略安排，把基本实现现代化的时间提前了十五年，提出了全面建成社会主义现代化强国这一更高目标，丰富了“两个一百年”奋斗目标的内涵，发出了实现中华民族伟大复兴中国梦的最强音。作出这一战略安排，是实事求是的、符合实际的，这主要是因为我国发展成就超出预期，同时也充分考虑了我国发展的巨大潜力。形势越好，头脑越要清醒，要把握好实现长远目标和做好当前工作的关系，蹄疾步稳向前推进。

4. 全面用好我国发展的重要战略机遇期

（56）“来而不可失者，时也；蹈而不可失者，机也。”对一个国家和民族来说，机遇极为宝贵、稍纵即逝。抓住了机遇就能赢得战略主动，乘势而上，事业迎来大发展；抓不住或者错失发展机遇，就可能陷入战略被动，逐渐落后，甚至错过整整一个时代。党的十六大提出，本世纪头二十年是我国必须紧紧抓住并且可以大有作为的重要战略机遇期。当前国内外形势发生深刻复杂变化，我国发展的重要战略机遇期是否还存在？在全面分析形势和任务的基础上，习近平总书记深刻指出：“我国发展仍处于并将长期处于重要战略机遇期。”

作出这一基本判断有着重要依据。和平与发展仍然是当今时代主题，大国之间发生战争必将遭到全世界人民反对；解决各种世界性难题需要加强国际合作，我国拥有解决世界性难题的强大能力和资源，作用不可替代；经济全球化是不可逆转的时代潮流，求合作、谋发展仍是世界各国的共同愿望；全球新一轮科技革命和产业变革迅速发展，创新成果层出不穷，我国在其中有着重要一席之地；我国市场的吸纳能力、消化能力独一无二，各国都想在我国寻找发展机遇。因此，时与势在我们一边。

（57）我国发展的重要战略机遇期具有新的内涵。从经济方面看，可以概括为五个新机遇。一是加快经济结构优化升级带来新机遇。全球新一轮科技革命和产业变革同我国经济结构优化升级交汇融合。只有加快经济结构优化升级、推动高质量发展，才能构建起面向未来的经济结构。二是提升科技创新能力带来新机遇。核心技术受制于人是我们最大的隐患，不掌握核心技术，我们就会被卡脖子、牵鼻子。必须坚持自主创新、自力更生、奋起直追，在关键核心技术创新上取得重大突破，为我国经济发展增添新的动能和优势。三是深化改革开放带来新机遇。我国经济要发展壮大，就必须到世界经济大海中去搏击。要把改革之路走得更快、开放之门开得更大，以改革开放新突破带来社会生产力大跃升。四是加快绿色发展带来新机遇。气候变化是人类面临的共同挑战，各国期待我国发挥引领作用。要加大生态文明建设力度，既推动经济可持续发展，又拓展这个领域的国际合作和发展空间。五是参与全球经济治理体系变革带来新机遇。当前全球经济治理体系变革处于重要时期，我国完全可以发挥更大作用，推动建设开放型世界经济，为经济发展营造更好的外部环境。

全面用好我国发展的重要战略机遇期。要紧扣重要战略机遇期的新内涵，树立机遇意识，调动和运用好国内外形势变化带来的一切积极因素，充分发挥我们的独特优势，抢占未来发展制高点。世界变局中危和机同生并存，克服了危即是机，失去了机即是危。要防微虑远、谋定后动，做好万全准备，同时善于学会利用危机，在应对危机中创造机遇，化危为机，转危为安，变外部压力为发展动力。要保持战略定力，把我国发展壮大作为最大机遇，集中力量把自己的事情办好，坚定朝着全面建成社会主义现代化强国这个宏伟目标不断前进。

六、中国共产党领导是中国特色社会主义最本质的特征

——关于新时代坚持和发展中国特色社会主义的领导力量

1. 党政军民学，东西南北中，党是领导一切的

（58）中国特色社会主义最本质的特征是中国共产党领导，中国特色社会主义制度的最大优势是中国共产党领导。习近平总书记指出：“党政军民学，东西南北中，党是领导一切的，是最高的政治领导力量。”

中国共产党是中国特色社会主义事业的领导核心。党的领导是做好党和国家各项工作的根本保证，是战胜一切困难和风险的“定海神针”。坚持党对一切工作的领导，是党和国家的根本所在、命脉所在，是全国各族人民的利益所在、幸福所在。必须增强政

治意识、大局意识、核心意识、看齐意识，坚定道路自信、理论自信、制度自信、文化自信，坚决维护习近平总书记党中央的核心、全党的核心地位，坚决维护党中央权威和集中统一领导，保证全党团结统一和行动一致，确保党始终总揽全局、协调各方。

（59）党的领导地位不是自封的，是历史和人民选择的，是由党的性质决定的，是由我国宪法明文规定的。

中国共产党是中国工人阶级的先锋队，同时是中国人民和中华民族的先锋队，在推动中国历史前进中发挥着无可替代的领导核心作用。深入了解中国近代以来的历史，不难发现，如果没有中国共产党领导，我们的国家、我们的民族不可能取得今天这样的成就，也不可能具有今天这样的国际地位。历史和人民选择中国共产党领导中华民族伟大复兴的事业是正确的。我国宪法以国家根本法的形式，确认了党领导人民进行革命、建设、改革的伟大斗争和根本成就，确认了中国共产党的执政地位，确认了党在国家政权结构中总揽全局、协调各方的核心地位，为我们党长期执政提供了根本法律依据。

（60）党的领导必须是全面的、系统的、整体的。习近平总书记对党的领导核心作用作了鲜明生动的阐述，他强调："形象地说是'众星捧月'，这个'月'

就是中国共产党。”国家治理体系是由众多子系统构成的复杂系统，这个系统的核心是中国共产党，人大、政府、政协、监委、法院、检察院、军队，各民主党派和无党派人士，各企事业单位，工会、共青团、妇联等群团组织，都要坚持中国共产党领导。

加强党对一切工作的领导，这一要求不是空洞的、抽象的，要落实到改革发展稳定、内政外交国防、治党治国治军等各领域各方面各环节。哪个领域、哪个方面、哪个环节缺失了弱化了，都会削弱党的力量，损害党和国家事业。在坚持党的领导这个重大原则问题上，我们脑子要特别清醒、眼睛要特别明亮、立场要特别坚定，绝不能有任何含糊和动摇。

党政关系既是重大理论问题，也是重大实践问题。改革开放以来，无论我们对党政关系进行了怎样的调整，但有一条是不变的，就是坚持党的领导。处理好党政关系，首先要坚持党的领导，在这个大前提下才是各有分工，而且无论怎么分工，出发点和落脚点都是坚持和完善党的领导。

2. 坚决维护习近平总书记党中央的核心、全党的核心地位

（61）船重千钧，掌舵一人。一个国家、一个政

党，领导核心至关重要。确立和维护习近平总书记党中央的核心、全党的核心地位，是全党全国各族人民的共同愿望，是推进全面从严治党、提高党的创造力凝聚力战斗力的迫切要求，是保持党和国家事业发展正确方向的根本保证。

确立和维护无产阶级政党的领导核心，始终是马克思主义建党学说的一个基本观点。马克思曾指出："一个单独的提琴手是自己指挥自己，一个乐队就需要一个乐队指挥。"毛泽东同志指出："要建立领导核心，反对'一国三公'。"邓小平同志强调："任何一个领导集体都要有一个核心，没有核心的领导是靠不住的。"我们这样一个有着近十四亿人口的大国，必须有一个众望所归的领袖；我们这样一个有着近九千万名党员的大党，必须有一个坚强的领导核心。没有党中央的核心、全党的核心，就没有党中央的权威和集中统一领导，就会导致各自为阵、各自为政，那就什么事情都干不成。

（62）习近平总书记党中央的核心、全党的核心地位，是在新的伟大斗争实践中形成的。党的十八大以来，习近平总书记带领全党全国各族人民接续推进伟大社会革命，开创了中国特色社会主义新时代，开辟了马克思主义中国化新境界，推动党和国家事业取得历史性成就、发生历史性变革，展现出坚定信仰信念、鲜明人民立场、非凡政治智慧、顽强意志品质、强烈历史担当、高超政治艺术，赢得了全党全国各族人民衷心拥护，赢得了国际社会高度赞誉。党的十八届六中全会正式确立习近平总书记党中央的核心、全党的核心地位，党的十九大把习近平总书记党中央的核心、全党的核心地位写入党章，这是历史和人民的共同选择、郑重选择、必然选择，是党和国家之幸、人民之幸、中华民族之幸。

服从核心、维护核心就是服从大局、维护大局，就是最大的政治。全党同志特别是党的领导干部要从事关党和国家前途命运的战略高度，坚决维护习近平总书记党中央的核心、全党的核心地位。要教育引导党员干部从历史和现实、理论和实践、国内和国际的结合上深刻认识、强化认同，不断增强拥护核心、跟随核心、捍卫核心的思想自觉、政治自觉、行动自觉，始终同以习近平同志为核心的党中央保持高度一致。

3. 坚决维护党中央权威和集中统一领导

（63）事在四方，要在中央。党中央是大脑和中枢，党和国家大政方针的决定权在党中央。地方和部门的权威来自党中央权威，地方和部门的工作是对党中央决策部署的具体落实。党的任何组织和成员必须以实际行动维护党中央一锤定音、定于一尊的权威，必须服从党中央集中统一领导。习近平总书记强调，坚决维护党中央权威和集中统一领导，是党的领导的最高原则，任何时候任何情况下都不能含糊、不能动摇。

党的历史、新中国发展的历史表明，要治理好我们这个大党、治理好我们这个大国，保证党的团结和集中统一至关重要，维护党中央权威至关重要。什么时候党中央有权威，党就有力量。如果党中央没有权威，党的理论和路线方针政策可以随意不执行，党就会变成一盘散沙，就会成为自行其是的“私人俱乐部”，党的领导就会成为一句空话。维护党中央权威和集中统一领导，决不是一般问题和个人的事，而是方向性、原则性问题，是党性，是大局，关系党、民族、国家前途命运。

维护党中央权威和集中统一领导，必须对党忠诚。对党忠诚，就是要与党中央同心同德，听党指挥、为党尽责，严守党的政治纪律和政治规矩，始终在政治立场、政治方向、政治原则、政治道路上同党中央保持高度一致。对党忠诚，必须体现到对党的信仰的忠诚上，必须体现到对党组织的忠诚上，必须体现到对党的理论和路线方针政策的忠诚上。要把维护党中央权威和集中统一领导作为明确的政治准则和根本的政治要求，自觉做到党中央提倡的坚决响应、党中央决定的坚决执行、党中央禁止的坚决不做，执行党中央决策部署不讲条件、不打折扣、不搞变通。维护党中央权威、向党中央看齐，这个逻辑不能层层推下去。核心只有党中央的核心，看齐只能向党中央看齐。

（64）维护党中央权威和集中统一领导，同坚持民主集中制是完全一致的。民主集中制是我们党的根本组织原则和领导制度，是马克思主义政党区别于其他政党的重要标志。民主集中制包括民主和集中两个方面，两者互为条件、相辅相成、缺一不可。民主是正确集中的前提和基础，离开民主讲集中，集中就成了个人专权专断。集中是民主的必然要求和归宿，离开集中搞民主，就会导致极端民主化和无政府状态。

我们党实行的民主集中制，是又有集中又有民主、又有纪律又有自由、又有统一意志又有个人心情舒畅生动活泼的制度，是民主和集中紧密结合的制度。在充分发扬民主的基础上进行集中，坚持党中央权威和集中统一领导，集中全党智慧，体现全党共同意志，是我们党的一大创举。这样做，既有利于做到科学决策、民主决策、依法决策，避免发生重大失误甚至颠覆性错误；又有利于克服分散主义、本位主义，避免议而不决、决而不行，形成推进党和国家事业发展的强大合力。坚持党中央权威和集中统一领导，不是说不要民主集中制了，不要发扬党内民主了，而是体现了充分发扬民主基础上的正确集中，把这两者对立起来是不对的、有害的。

4. 完善坚持党的领导的体制机制

（65）坚持党对一切工作的领导，保证国家统一、法制统一、政令统一、市场统一，顺利推进新时代中国特色社会主义各项事业，必须建立健全坚持和加强党的全面领导的制度体系，确保党的领导全覆盖，确保党的领导更加坚强有力。

健全党中央集中统一领导重大工作的体制机制。中央委员会、中央政治局、中央政治局常委会，是党的领导决策核心。党中央决策议事协调机构在中央政治局及其常委会领导下开展工作。要优化党中央决策议事协调机构，负责重大工作的顶层设计、总体布局、统筹协调、整体推进。其他方面的议事协调机构，要同党中央决策议事协调机构的设立调整相衔接，保证党中央令行禁止和工作高效。党中央作出的决策部署，所有党组织都要贯彻落实。要强化党的组织在同级组织中的领导地位，理顺党的组织同其他组织的关系，不断增强党的政治领导力、思想引领力、群众组织力、社会号召力。

深化党和国家机构改革。坚持和加强党的全面领导，必须努力从机构职能上解决党对一切工作领导的体制机制问题，解决党长期执政条件下我国国家治理体系中党政军群的机构职能关系问题，把党的领导贯彻到党和国家机关全面正确履行职责各领域各环节。要构建系统完备、科学规范、运行高效的党和国家机构职能体系，形成总揽全局、协调各方的党的领导体系，职责明确、依法行政的政府治理体系，中国特色、世界一流的武装力量体系，联系广泛、服务群众的群团工作体系等，推动各类机构、各种职能相互衔接、相互融合，推动党和国家各项工作协调行动、高效运行。

严格执行请示报告制度。请示报告制度是我们党的一项重要制度。中央政治局全体同志每年向党中央和总书记书面述职；中央书记处和中央纪律检查委员会、全国人大常委会党组、国务院党组、全国政协党组、最高人民法院党组、最高人民检察院党组每年向中央政治局常委会、中央政治局报告工作；各地区各部门党委（党组）加强向党中央报告工作。研究涉及全局的重大事项或作出重大决定要及时向党中央请示报告，执行党中央重要决定的情况要专题报告。遇有突发性重大问题和工作中重大问题要及时向党中央请示报告。党员、领导干部在涉及重大事项、重要工作、个人有关事项时，要按规定按程序向组织请示报告。要把请示报告和履职尽责统一起来，该请示的必须请示，该报告的必须报告，该负责的必须负责，该担当的必须担当。

5. 全面增强党的执政本领

（66）领导近十四亿人的社会主义大国，我们党既要政治过硬，也要本领高强。习近平总书记指出：“全党同志特别是各级领导干部，都要有本领不够的危机感，都要努力增强本领，都要一刻不停地增强本领。”

从总体上看，与今天我们党和国家事业发展的要求相比，我们的本领有适应的一面，也有不适应的一面。很多同志有做好工作的真诚愿望，也有干劲，但缺乏新形势下做好工作的本领，面对新情况新问题，由于不懂规律、不懂门道、缺乏知识、缺乏本领，还是习惯于用老思路老套路来应对，蛮干盲干，结果是虽然做了工作，有时做得还很辛苦，但不是不对路子，就是事与愿违，甚至搞出一些南辕北辙的事情来。这就叫新办法不会用，老办法不管用，硬办法不敢用，软办法不顶用。如果不抓紧增强本领，久而久之，我们就难以胜任领导改革开放和社会主义现代化建设的繁重任务。

绳短不能汲深井，浅水难以负大舟。党和国家事业越发展，对领导干部的能力要求就越高。党的十九大提出了全面增强执政本领的明确要求。要增强学习本领，在全党营造善于学习、勇于实践的浓厚氛围；增强政治领导本领，科学制定和坚决执行党的路线方针政策；增强改革创新本领，善于结合实际创造性推动工作；增强科学发展本领，善于贯彻新发展理念，不断开创发展新局面；增强依法执政本领，加强和改善对国家政权机关的领导；增强群众工作本领，善于组织动员广大人民群众坚定不移跟党走；增强狠抓落实本领，以钉钉子精神做实做细做好各项工作；增强驾驭风险本领，勇于战胜前进道路上的各种艰难险阻。只有全面增强执政本领，着力提高党把方向、谋大局、定政策、促改革的能力和定力，才能牢牢把握工作主动权。

（67）在中国特色社会主义新时代，完成伟大事业必须靠党的领导。中国共产党人能不能打仗，新中国的成立已经说明了；中国共产党人能不能搞建设搞发展，改革开放的推进也已经说明了；中国共产党人能不能在日益复杂的国际国内环境下坚持住党的领导、坚持和发展中国特色社会主义，这个还需要一代一代共产党人继续作出回答。历史和人民把我们党推到了这样的位置，我们就要以坚强有力的政治领导承担起应该承担的政治责任。

七、将全面深化改革进行到底

——关于新时代坚持和发展中国特色社会主义的根本动力

1.改革开放是决定当代中国命运的关键一招

（68）改革开放是我们党的一次伟大觉醒，正是这个伟大觉醒孕育了我们党从理论到实践的伟大创造。改革开放是中国人民和中华民族发展史上一次伟大革命，正是这个伟大革命推动了中国特色社会主义事业的伟大飞跃。

习近平总书记指出：“改革开放是决定当代中国命运的关键一招，也是决定实现‘两个一百年’奋斗目标、实现中华民族伟大复兴的关键一招。”改革开放已成为当代中国最鲜明的特色、当代中国共产党人最鲜明的品格。

（69）一九七八年十二月，在党和国家面临何去何从的重大历史关头，我们党召开了十一届三中全会，作出把党和国家工作中心转移到经济建设上来、实行改革开放的历史性决策。从那时以来，中国共产党人和中国人民以一往无前的进取精神和波澜壮阔的创新实践，不断战胜前进道路上各种世所罕见的艰难险阻，推动中国经济实力、综合国力、人民生活水平不断跨上新台阶。党和人民的事业在不断深化改革中波浪式向前推进。

一个时代有一个时代的问题，一代人有一代人的使命。随着改革进入攻坚期和深水区，遇到的阻力越来越大，面对的暗礁、潜流、漩涡越来越多。发展中的问题和发展后的问题、一般矛盾和深层次矛盾交织叠加、错综复杂。容易的、皆大欢喜的改革已经完成了，好吃的肉都吃掉了，剩下的都是难啃的硬骨头。改革开放中的矛盾只能用改革开放的办法来解决。中国要前进，就要全面深化改革。除了全面深化改革，别无他途。

二〇一三年十一月，我们党召开了十八届三中全会，对全面深化改革作出总部署、总动员。这次全会，深刻剖析了我国改革发展稳定面临的重大理论和实践问题，阐明了全面深化改革的重大意义和未来走向，实现了改革理论和政策的一系列新的重大突破，凝聚了全党全社会关于全面深化改革的思想共识和行动力量，对推动中国特色社会主义事业发展产生了重大而深远的影响。党的十八届三中全会以来，我们高举改革开放的旗帜，以前所未有的力度推进全面深化改革，啃下了不少硬骨头，闯过了不少急流险滩，改革呈现全面发力、多点突破、蹄疾步稳、纵深推进的局面。

习近平总书记指出："党的十一届三中全会是划时代的，开启了改革开放和社会主义现代化建设历史新时期。党的十八届三中全会也是划时代的，开启了全面深化改革、系统整体设计推进改革的新时代，开创了我国改革开放的全新局面。"

（70）改革开放四十多年来，从开启新时期到跨入新世纪，从站上新起点到进入新时代，我们解放思想、实事求是，大胆地试、勇敢地改，干出了一片新天地。

从实行家庭联产承包、乡镇企业异军突起、取消农业税到农村承包地"三权"分置、打赢脱贫攻坚战、实施乡村振兴战略，从兴办深圳等经济特区、沿海沿边沿江沿线和内陆中心城市对外开放到加入世界贸易组织、共建"一带一路"、设立自由贸易试验区、成功举办首届中国国际进口博览会，从"引进来"到"走出去"，从搞好国营大中小企业、发展个体私营经济到深化国资国企改革、发展混合所有制经济，从单一公有制到公有制为主体、多种所有制经济共同发展和坚持"两个毫不动摇"，从传统的计划经济体制到前无古人的社会主义市场经济体制再到使市场在资源配置中起决定性作用、更好发挥政府作用，从以经济体制改革为主到全面深化经济、政治、文化、社会、生态文明体制和党的建设制度改革等，一系列重大改革扎实推进，各项便民、惠民、利民举措持续实施，使改革开放成为当代中国最显著的特征、最壮丽的气象。

改革开放极大改变了中国的面貌、中华民族的面貌、中国人民的面貌、中国共产党的面貌。实践充分证明，改革开放是党和人民大踏步赶上时代的重要法宝，是坚持和发展中国特色社会主义的必由之路。

改革开放只有进行时，没有完成时。新时代坚持和发展中国特色社会主义，根本动力仍然是全面深化改革。在前进道路上，要进一步解放思想、进一步解放和发展社会生产力、进一步解放和增强社会活力，在更高起点、更高层次、更高目标上推进全面深化改革，将改革开放进行到底。

2. 全面深化改革是有方向、有立场、有原则的

（71）全面深化改革往什么方向走，这是一个带有根本性的问题。回答好这一问题，要完整理解和把握全面深化改革总目标。习近平总书记指出，全面深

化改革总目标是完善和发展中国特色社会主义制度、推进国家治理体系和治理能力现代化。这两句话是一个统一整体，前一句规定了根本方向，这个方向就是中国特色社会主义道路，而不是其他什么道路。后一句规定了在根本方向指引下完善和发展中国特色社会主义制度的鲜明指向。两句话都讲，才是完整的、全面的。

制度是关系党和国家事业发展的根本性、全局性、稳定性、长期性问题。历史经验表明，经过长期剧烈的社会变革之后，一个政权要稳定下来，一个社会要稳定下来，必须加强制度建设，而形成比较完备的一套制度往往需要较长甚至很长的历史时期。巩固和发展社会主义制度，还需要一个很长的历史阶段，需要我们几代人、十几代人，甚至几十代人坚持不懈地努力奋斗。

今天，摆在我们党面前的一项重大历史任务，就是推动中国特色社会主义制度更加成熟更加定型。可以说，从形成更加成熟更加定型的制度看，我国社会主义实践前半程的主要历史任务是建立社会主义基本制度，并在这个基础上进行改革，现在已经有了很好的基础。我国社会主义实践后半程的主要历史任务是完善和发展中国特色社会主义制度，为党和国家事业发展、为人民幸福安康、为社会和谐稳定、为国家长治久安提供一整套更完备、更稳定、更管用的制度体系。这项工程极为宏大，零敲碎打调整不行，碎片化修补也不行，必须是全面的系统的改革和改进，是各领域改革和改进的联动和集成。

（72）坚持社会主义市场经济改革方向，是全面深化改革的重要依托。虽然我国社会主义市场经济体制已经初步建立，但市场体系还不健全，市场发育还不充分，特别是政府和市场的关系还要进一步理顺，必须继续朝着加快完善社会主义市场经济体制的目标努力。在全面深化改革中，要坚持以经济体制改革为重点，发挥经济体制改革牵引作用。

全面深化改革必须以促进社会公平正义、增进人民福祉为出发点和落脚点。如果不能给老百姓带来实实在在的利益，不能创造更加公平的社会环境，改革就失去意义，也不可能持续。要把促进社会公平正义、增进人民福祉作为一面镜子，审视我们各方面体制机制和政策规定，哪里有不符合社会公平正义的问题，哪里就需要改革；哪个领域哪个环节问题突出，哪个领域哪个环节就是改革的重点。创新制度安排，努力克服人为因素造成的有违社会公平正义的现象，保证人民平等参与、平等发展权利。

（73）习近平总书记指出："推进改革的目的是要不断推进我国社会主义制度自我完善和发展，赋予社会主义新的生机活力。这里面最核心的是坚持和改善党的领导、坚持和完善中国特色社会主义制度，偏离了这一条，那就南辕北辙了。”

改革不是改向，变革不是变色。不实行改革开放死路一条，搞否定社会主义方向的“改革开放”也是死路一条。我们要有主张、有定力。改什么、怎么改必须以是否符合完善和发展中国特色社会主义制度、推进国家治理体系和治理能力现代化的总目标为根本尺度，该改的、能改的我们坚决改，不该改的、不能改的坚决不改，决不能在根本性问题上出现颠覆性错误。必须充分发挥党总揽全局、协调各方的领导核心作用，坚持走中国特色社会主义道路不动摇，坚持社会主义基本制度不动摇，坚持党的领导不动摇，确保改革开放始终沿着正确方向前进。

3. 推进国家治理体系和治理能力现代化

（74）国家治理体系和治理能力是一个国家制度和制度执行能力的集中体现。国家治理体系是在党领导下管理国家的制度体系，包括经济、政治、文化、社会、生态文明和党的建设等各领域体制机制、法律法规安排，是一整套紧密相连、相互协调的国家制度；国家治理能力则是运用国家制度管理社会各方面事务的能力，包括改革发展稳定、内政外交国防、治党治国治军等各个方面。国家治理体系和治理能力是一个有机整体，两者相辅相成，有了好的国家治理体系才能提高国家治理能力，提高国家治理能力才能充分发挥国家治理体系的效能。

纵观社会主义从诞生到现在的历史过程，怎样治理社会主义社会这样的全新社会，在以往的世界社会主义实践中没有解决得很好。新中国成立后，我们党深入思考和探索怎样建设社会主义、怎样治理中国的问题，虽然也发生了严重曲折，但在国家治理体系和治理能力上积累了丰富经验、取得了重大成果。改革开放以来，我们党以全新的角度思考和探索国家治理体系和治理能力问题，实现了政治稳定、经济发展、社会和谐、民族团结，这同世界上一些地区和国家不断出现乱局形成了鲜明对照。

我们的国家治理体系和治理能力总体上是好的，是适应我国国情和发展要求的。同时也要看到，相比我国经济社会发展要求，相比人民群众期待，相比当今世界日趋激烈的国际竞争，相比实现国家长治久安，我们在国家治理体系和治理能力方面还有许多不足，有许多亟待改进的地方。真正实现社会和谐稳定、国家长治久安，还是要靠制度，靠我们在国家治理上的高超能力，靠高素质干部队伍。

要适应国家现代化总进程，从各个领域推进国家治理体系和治理能力现代化。既改革不适应实践发展要求的体制机制、法律法规，又不断构建新的体制机制、法律法规，使各方面制度更加科学、更加完善，实现党、国家、社会各项事务治理制度化、规范化、程序化。更加注重治理能力建设，增强按制度办事、依法办事意识，善于运用制度和法律治理国家，把各方面制度优势转化为管理国家的效能，提高党科学执政、民主执政、依法执政水平。

推进国家治理体系和治理能力现代化，绝不是西方化、资本主义化。要借鉴人类政治文明有益成果，但绝不照搬西方政治制度的模式，绝不放弃我国社会主义制度的根本。

4. 全面深化改革要坚持正确方法论

（75）习近平总书记指出："改革开放是前无古人的崭新事业，必须坚持正确的方法论，在不断实践探索中推进。"全面深化改革是一个涉及经济社会发展各领域的复杂系统工程，需要统筹谋划各个方面、各个层次、各个要素，注重推动各项改革相互促进、良性互动、协同配合。

注重系统性、整体性、协同性是全面深化改革的内在要求，也是推进改革的重要方法。要厘清重大改革的逻辑关系，推动有条件的地方和领域实现改革举措系统集成，打好改革“组合拳”，压茬推进重要改革，做到前后呼应、衔接配套。坚持整体推进，讲求整体效果，防止畸重畸轻、单兵突进、顾此失彼。整体推进不是平均用力、齐头并进，而是要注重抓主要矛盾和矛盾的主要方面，注重抓重要领域和关键环节。改革要注意协同，既抓改革方案协同，也抓改革落实协同，更抓改革效果协同，促进各项改革举措在政策取向上相互配合、在实施过程中相互促进、在改革成效上相得益彰。

加强顶层设计和摸着石头过河相结合，是富有中国特色、符合中国国情的改革方法。摸着石头过河就是摸规律，对必须取得突破但一时还不那么有把握的改革，可以试点探索、投石问路，看得很准了再推开。随着改革不断推进，必须加强顶层设计和总体规划，提高改革决策科学性、增强改革措施协调性。摸着石头过河和加强顶层设计是辩证统一的，推进局部的阶段性改革要在加强顶层设计的前提下进行，加强顶层设计要在推进局部的阶段性改革的基础上来谋划。既要加强宏观思考和顶层设计，又要继续鼓励大胆试验、大胆突破，不断把改革引向深入。

全面深化改革胆子要大，但步子一定要稳。胆子要大，就是改革再难也要向前推进，敢于担当，敢于啃硬骨头，敢于涉险滩。步子要稳，就是方向一定要准，行驶一定要稳，尤其是不能犯颠覆性错误。搞改革不可能都是四平八稳、没有任何风险。只要经过充分论证和评估，是符合实际、必须做的，就要大胆地干。胆子大不是蛮干，必须坚持正确方向，稳妥审慎，三思而后行。对一些重大改革，不可能毕其功于一役，要稳扎稳打，做到蹄疾而步稳。

改革发展稳定是我国社会主义现代化建设的三个重要支点。改革是经济社会发展的强大动力，发展是解决一切经济社会问题的关键。我国发展走到今天，发展和改革高度融合，发展前进一步就需要改革前进一步，改革不断前进也能为发展提供强劲动力。稳定是改革发展的前提。只有社会稳定，改革发展才能不断推进；只有改革发展不断推进，社会稳定才能具有坚实基础。要坚持把改革的力度、发展的速度和社会可承受的程度统一起来，在保持社会稳定中推进改革发展，通过改革发展促进社会稳定。

（76）凡属重大改革都要于法有据。改革和法治如鸟之两翼、车之两轮，相辅相成、相伴而生。要坚持改革决策和立法决策相统一、相衔接，做到改革和法治同步推进，增强改革的穿透力。充分运用法治思维和法治方式，积极发挥法治引导、推动、规范、保障改革的作用。加强对相关立法工作的协调，确保在法治轨道上推进改革。实践证明行之有效的，要及时上升为法律。实践条件还不成熟、需要先行先试的，要按照法定程序作出授权。对不适应改革要求的法律法规，要及时修改和废止。

5. 推动全面深化改革落地生根

（77）改革重在落实，也难在落实。当前我国改革到了愈进愈难、愈进愈险而又不进则退、非进不可的关键时刻，能否坚定信心、凝聚共识、攻坚克难，确保各项改革举措落地生根，直接决定着改革成败。习近平总书记强调，改革要聚焦、聚神、聚力抓落实，做到紧之又紧、细之又细、实之又实。

改革推进到今天，比认识更重要的是决心，比方法更关键的是担当。领导干部要把抓改革作为一项重大政治责任，争当改革促进派、实干家。什么是改革促进派、实干家？拥护改革、支持改革、敢于担当的就是促进派，把改革抓在手上、落到实处、干出成效的就是实干家。党委主要负责同志要把改革放在更加突出位置来抓，既要挂帅、又要出征，亲自抓、带头干，勇于挑最重的担子、啃最硬的骨头，做到重要改革亲自部署、重大方案亲自把关、关键环节亲自协调、落实情况亲自督察。健全正向激励体系，着力强化敢于担当、攻坚克难的用人导向，把那些想改革、谋改革、善改革的干部用起来。

（78）遵循改革规律和特点，建立全过程、高效率、可核实的改革落实机制，实现精确改革。要抓主体责任、抓督办协调、抓督察落实、抓机制完善，确保党中央确定的改革方向不偏离、党中央明确的改革任务不落空。督察过程中发现的问题，要一竿子插到底，对敷衍塞责、拖延扯皮、落实不力的要严肃追责问责。要把是否促进经济社会发展，是否给人民群众带来实实在在的获得感，作为改革成效的评价标准。

改革是亿万人民自己的事业。要尊重和发挥地方、基层、群众的首创精神，既鼓励创新、表扬先进，也允许试错、宽容失败。坚持眼睛向下、脚步向下，了解基层群众所思所想所盼，使改革更接地气。注重加强对改革的正面宣传和舆论引导，为顺利推进改革营造良好环境。

6. 中国开放的大门只会越开越大

（79）开放也是改革。以开放促改革、促发展，是我国发展不断取得新成就的重要法宝。改革不停顿，开放不止步。习近平总书记强调："中国开放的大门不会关闭，只会越开越大！”

开放带来进步，封闭必然落后。开放是当代中国的鲜明标识。改革开放以来，我们坚持对外开放基本国策，打开国门搞建设，实现了从封闭半封闭到全方位开放的伟大历史转折。中国在对外开放中展现大国担当，成为世界经济增长的主要稳定器和动力源，促进了人类和平与发展的崇高事业。中国不断扩大对外开放，不仅发展了自己，也造福了世界。过去中国经济发展是在开放条件下取得的，未来中国经济发展也必须在更加开放的条件下进行。这是根据中国改革发展客观需要作出的自主选择，有利于推动经济高质量发展，有利于满足人民对美好生活的向往，有利于世界和平、稳定、发展。

当今世界，开放融通的潮流滚滚向前，经济全球化的历史大势不可逆转。融入世界经济是历史大方向。中国经济要发展，就要敢于到世界市场的汪洋大海中去游泳，如果永远不敢到大海中去经风雨、见世面，总有一天会在大海中溺水而亡。只有主动参与、推动引领经济全球化进程，发展更高层次的开放型经济，才能为我国开拓广阔发展空间，为共建开放型世界经济作出更大贡献。

（80）推动全面开放，要以“一带一路”建设为重点，坚持“引进来”和“走出去”并重，遵循共商共建共享原则，加强创新能力开放合作，形成陆海内外联动、东西双向互济的开放格局。坚持公平开放、共赢开放、包容开放，构建公平竞争的内外资发展环境，推动经济全球化朝着普惠共赢方向发展，探索求同存异、包容共生的国际合作新途径。中国对外开放，不是要一家唱独角戏，而是要欢迎各方共同参与；不是要谋求势力范围，而是要支持各国共同发展；不是要营造自己的后花园，而是要建设各国共享的百花园。

开放型世界经济的首要之义是反对保护主义。搞保护主义如同把自己关进黑屋子，看似躲过了风吹雨打，但也隔绝了阳光和空气。打贸易战的结果只能是两败俱伤。习近平总书记指出："世界经济的大海，你要还是不要，都在那儿，是回避不了的。想人为切断各国经济的资金流、技术流、产品流、产业流、人员流，让世界经济的大海退回到一个一个孤立的小湖泊、小河流，是不可能的，也是不符合历史潮流的。"

今日之中国，不仅是中国之中国，而且是世界之中国。未来之中国，必将以更加开放的姿态拥抱世界，必将同世界形成更加良性的互动，带来更加进步和繁荣的中国和世界。

八、全面推进依法治国

——关于新时代坚持和发展中国特色社会主义的本质要求

1. 全面依法治国是国家治理的一场深刻革命

（81）全面依法治国是坚持和发展中国特色社会主义的本质要求和重要保障，事关我们党执政兴国，事关人民幸福安康，事关党和国家事业发展。习近平总书记指出，“全面推进依法治国总目标是建设中国特色社会主义法治体系、建设社会主义法治国家”。这个总目标，既明确了全面推进依法治国的性质和方向，又突出了工作重点和总抓手，具有纲举目张的意义。

新中国成立初期，我们党在废除旧法统的同时，积极运用新民主主义革命时期根据地法制建设的成功经验，抓紧建设社会主义法治，初步奠定了社会主义法治的基础。后来，社会主义法治建设走过一段弯路，付出了沉重代价。进入改革开放历史新时期，我们党把依法治国确定为党领导人民治理国家的基本方略，把依法执政确定为党治国理政的基本方式，推动依法治国取得重大成就。

党的十八大以来，我们党对社会主义法治的理论认识和实践探索达到了新的历史高度。以习近平同志为核心的党中央对全面依法治国高度重视，从关系党和国家长治久安的战略高度来定位法治、布局法治、厉行法治，把全面依法治国放在党和国家事业发展全局中来谋划、来推进，社会主义法治国家建设取得历史性成就。党的十八届四中全会作出了全面推进依法治国的顶层设计，制定了路线图、施工图，在我国社会主义法治史上具有里程碑意义。党的十九大对新时代全面推进依法治国提出了新任务，描绘了到二〇三五年基本建成法治国家、法治政府、法治社会的宏伟蓝图。

经验和教训使我们党深刻认识到，法治是治国理政不可或缺的重要手段。习近平总书记反复强调："法治兴则国家兴，法治衰则国家乱。什么时候重视法治、法治昌明，什么时候就国泰民安；什么时候忽视法治、法治松弛，什么时候就国乱民怨。"在我们这样一个大国，要实现经济发展、政治清明、文化昌盛、社会公正、生态良好，必须把全面依法治国坚持好、贯彻好、落实好。

（82）全面推进依法治国，是解决党和国家事业发展面临的一系列重大问题，解放和增强社会活力、促进社会公平正义、维护社会和谐稳定、确保党和国家长治久安的根本要求。

当前，我国改革发展稳定形势总体是好的，但发展不平衡不充分的一些突出问题尚未解决，人民内部矛盾和其他社会矛盾凸显，党风政风也存在一些不容忽视的问题，其中大量矛盾和问题与有法不依、执法不严、违法不究相关。人民群众对法治的要求越来越高，依法治国在党和国家工作全局中的地位更加突出、作用更加重大。全面依法治国，既是立足于解决我国改革发展稳定中的矛盾和问题的现实考量，也是着眼于长远的战略谋划。必须全面推进依法治国，密织法律之网、强化法治之力，为党和国家事业发展提供根本性、全局性、长期性的制度保障，确保我国社会在深刻变革中既生机勃勃又井然有序。

全面推进依法治国是一个系统工程，是国家治理领域一场广泛而深刻的革命。必须坚持依法治国、依法执政、依法行政共同推进，坚持法治国家、法治政府、法治社会一体建设，实现科学立法、严格执法、公正司法、全民守法，不断把法治中国建设推向前进。

2. 坚定不移走中国特色社会主义法治道路

（83）全面推进依法治国必须走对路。中国特色社会主义法治道路，是社会主义法治建设成就和经验的集中体现，是建设社会主义法治国家的唯一正确道路。习近平总书记强调，我国法治建设的成就，可以列举出十几条、几十条，但归结起来就是开辟了中国特色社会主义法治道路这一条。在坚持和拓展中国特色社会主义法治道路这个根本问题上，要树立自信、保持定力。

中国特色社会主义法治道路的核心要义，就是要坚持党的领导，坚持中国特色社会主义制度，贯彻中国特色社会主义法治理论。党的领导是中国特色社会主义最本质的特征，是社会主义法治最根本的保证。坚持中国特色社会主义法治道路，最根本的是坚持党的领导。中国特色社会主义制度是中国特色社会主义法治体系的根本制度基础，是全面推进依法治国的根本制度保障。中国特色社会主义法治理论是中国特色社会主义法治体系的理论指导和学理支撑，是全面推进依法治国的行动指南。这三个方面规定和确保了中国特色社会主义法治体系的制度属性和前进方向。

（84）人民是依法治国的主体和力量源泉。我国社会主义制度保证了人民当家作主的主体地位，也保证了人民在全面推进依法治国中的主体地位。要坚持人民主体地位，坚持法治为了人民、依靠人民、造福人民、保护人民。加强人权法治保障，保证人民依法享有广泛权利和自由。把体现人民利益、反映人民愿望、维护人民权益、增进人民福祉落实到依法治国全过程，使法律及其实施充分体现人民意志。

平等是社会主义法律的基本属性，是社会主义法治的基本要求。坚持法律面前人人平等，必须体现在立法、执法、司法、守法各个方面。任何组织和个人都必须尊重宪法法律权威，都必须在宪法法律范围内活动，都必须依照宪法法律行使权力或权利、履行职责或义务，都不得有超越宪法法律的特权。

坚持依法治国和以德治国相结合，是中国特色社会主义法治道路的鲜明特点。法律是成文的道德，道德是内心的法律。法律和道德都具有规范社会行为、调节社会关系、维护社会秩序的作用，在国家治理中都有其地位和功能。法安天下，德润人心。法治和德治不可分离、不可偏废，必须一手抓法治、一手抓德治。要发挥法治对道德的保障作用，运用法治手段解决道德领域突出问题；强化道德对法治的支撑作用，把道德要求贯彻到法治建设中，实现法律和道德相辅相成、法治和德治相得益彰。

走什么样的法治道路、建设什么样的法治体系，是由一个国家的基本国情决定的。全面推进依法治国，必须从我国实际出发，同推进国家治理体系和治理能力现代化相适应，既不能罔顾国情、超越阶段，也不能因循守旧、墨守成规。坚持从实际出发，就是要突出中国特色、实践特色、时代特色。要学习借鉴世界上优秀的法治文明成果，但必须坚持以我为主、为我所用，认真鉴别、合理吸收，不能搞“全盘西化”，不能搞“全面移植”，不能照搬照抄。

3. 建设中国特色社会主义法治体系

（85）中国特色社会主义法治体系，本质上是中国特色社会主义制度的法律表现形式，是国家治理体系的骨干工程。习近平总书记指出：“全面推进依法治国涉及很多方面，在实际工作中必须有一个总揽全局、牵引各方的总抓手，这个总抓手就是建设中国特色社会主义法治体系。”

加快形成完备的法律规范体系。良法是善治的前提。“立善法于天下，则天下治；立善法于一国，则一国治。”要继续完善以宪法为统帅的中国特色社会主义法律体系，把国家各项事业和各项工作纳入法制轨道。坚持立法先行，加快完善法律、行政法规、地方性法规体系，完善社会规范体系，为全面依法治国提供基本遵循。推进科学立法、民主立法、依法立法，使每一项立法都符合宪法精神、反映人民意志、得到人民拥护。把公正、公平、公开原则贯穿立法全过程，完善立法体制机制，坚持立改废释并举，增强法律法规的及时性、系统性、针对性、有效性。

加快形成高效的法治实施体系。法律的生命力在于实施，法律的权威也在于实施。宪法是治国安邦的总章程，是全面依法治国的总依据。坚持依法治国首先要坚持依宪治国，坚持依法执政首先要坚持依宪执政。坚持依宪治国、依宪执政，就包括坚持宪法确定的中国共产党领导地位不动摇，坚持宪法确定的人民民主专政的国体和人民代表大会制度的政体不动摇。必须明确，我们坚持的依宪治国、依宪执政，与西方所谓的“宪政”本质上是不同的。有一些人打出“宪政”牌，目的是拿“西方宪政”框住我们，用所谓“宪政”否定中国共产党的领导。全面依法治国，要用科学有效、系统完备的制度体系保证宪法实施，维护宪法尊严，把实施宪法提高到新水平。加快建设执法、司法、守法等方面的体制机制，坚持依法行政和公正司法，做到有法必依、执法必严、违法必究，确保法律的全面有效实施。

加快形成严密的法治监督体系。纵观人类政治文明史，权力是一把双刃剑，在法治轨道上行使可以造福人民，在法律之外行使则必然祸害国家和人民。没有监督的权力必然导致腐败，这是一条铁律。要加强对权力运行的制约和监督，让人民监督权力，让权力在阳光下运行。加大监督力度，做到有权必有责、用权受监督、违法必追究。加强党内监督、人大监督、民主监督、行政监督、监察监督、司法监督、审计监督、社会监督、舆论监督制度建设，努力形成科学有效的权力运行制约和监督体系，增强监督合力和实效。

加快形成有力的法治保障体系。完善有力的法治保障对全面推进依法治国至关重要。如果没有一系列的保障条件，全面依法治国就难以实现。要切实加强和改进党对全面依法治国的领导，提高依法执政能力和水平，为全面依法治国提供有力的政治和组织保障。着力建设一支忠于党、忠于国家、忠于人民、忠于法律的社会主义法治工作队伍，为全面依法治国提供强有力的人才保障。改革和完善不符合法治规律、不利于依法治国的体制机制，为全面依法治国提供完备的制度保障。

加快形成完善的党内法规体系。党内法规既是管党治党的重要依据，也是建设社会主义法治国家的重要保障。依规治党深入党心，依法治国才能深入民心。要坚持依法治国和依规治党有机统一，完善党内法规制定体制机制，注重党内法规同国家法律的衔接和协调，构建以党章为根本、若干配套党内法规为支撑的党内法规制度体系，提高党内法规执行力。

4. 维护社会公平正义、司法公正

（86）公平正义是我们党追求的一个非常崇高的价值，全心全意为人民服务的宗旨决定了我们必须追求公平正义，保护人民权益、伸张正义。全面依法治国，必须紧紧围绕保障和促进社会公平正义来进行。

法治不仅要求完备的法律体系、完善的执法机制、普遍的法律遵守，更要求公平正义得到维护和实现。“理国要道，在于公平正直。”老百姓讲“一碗水端平”，如果不端平、端不平，老百姓就会有意见，就会有怨气，久而久之社会和谐稳定就难以实现。必须把社会公平正义这一法治价值追求贯穿到立法、执法、司法、守法的全过程和各方面，努力让人民群众在每一项法律制度、每一个执法决定、每一宗司法案件中都感受到公平正义。

（87）公正是司法的灵魂和生命。公正司法是维护社会公平正义的最后一道防线。所谓公正司法，就是受到侵害的权利一定会得到保护和救济，违法犯罪活动一定要受到制裁和惩罚。

司法公正对社会公正具有重要引领作用，司法不公对社会公正具有致命破坏作用。如果人民群众通过司法程序不能保证自己的合法权利，那司法就没有公信力，人民群众也不会相信司法。人民群众每一次求告无门、每一次经历冤假错案，损害的都不仅仅是他们的合法权益，更是法律的尊严和权威，是他们对社会公平正义的信心。习近平总书记强调，要懂得“100-1=0”的道理，一个错案的负面影响足以摧毁九十九个公正裁判积累起来的良好形象。执法司法中万分之一的失误，对当事人就是百分之百的伤害。

推进公正司法，要坚持司法为民，维护人民权益。重点解决好损害群众权益的突出问题，决不允许对群众的报警求助置之不理，决不允许让普通群众打不起官司，决不允许滥用权力侵犯群众合法权益，决不允许执法犯法造成冤假错案。要构建开放、动态、透明、便民的阳光司法机制，以公开促公正、以透明保廉洁。增强主动公开、主动接受监督的意识，依法及时公开执法司法依据、程序、流程、结果和裁判文书，让暗箱操作没有空间，让司法腐败无法藏身，让公平正义的阳光照耀人民心田。

推进公正司法，必须深化司法体制改革。要按照权责统一、权力制约、公开公正、尊重程序的要求，从确保依法独立公正行使审判权检察权、健全司法权力运行机制、完善人权司法保障制度三个方面，着力破解体制性、机制性、保障性障碍，不断提高司法公信力。各级党组织和领导干部都要旗帜鲜明支持司法机关依法独立公正行使职权，绝不容许利用职权干预司法。司法人员要刚正不阿，勇于担当，敢于依法排除来自司法机关内部和外部的干扰，坚守公正司法的底线。

5. 在党的领导下依法治国、厉行法治

（88）全面推进依法治国这件大事能不能办好，最关键的是方向是不是正确、政治保证是不是坚强有力。这其中最重要的，就是要正确认识把握党和法的关系。习近平总书记指出："党和法的关系是一个根本问题，处理得好，则法治兴、党兴、国家兴；处理得不好，则法治衰、党衰、国家衰。"

社会主义法治必须坚持党的领导，党的领导必须依靠社会主义法治。在我国，法是党的主张和人民意愿的统一体现，党领导人民制定宪法法律，党领导人民实施宪法法律，党自身必须在宪法法律范围内活动，这就是党的领导力量的体现。党和法、党的领导和依法治国是高度统一的。只有在党的领导下依法治国、厉行法治，人民当家作主才能充分实现，国家和社会

生活法治化才能有序推进。

全面推进依法治国，要有利于加强和改善党的领导，有利于巩固党的执政地位、完成党的执政使命，绝不是要虚化、弱化甚至动摇、否定党的领导。有一些人提出诸如“党大还是法大”这样的问题，这是一个政治陷阱，是一个伪命题。少数人之所以热衷于炒作这个命题，是醉翁之意不在酒，是想把党的领导和法治割裂开来、对立起来，最终达到否定、取消党的领导的目的。我们说不存在“党大还是法大”的问题，是把党作为一个执政整体而言的，是指党的执政地位和领导地位而言的，具体到每个党政组织、每个领导干部，就必须服从和遵守宪法法律，就不能以党自居，就不能把党的领导作为个人以言代法、以权压法、徇私枉法的挡箭牌。

对各级党政组织、各级领导干部来说，真正要解决的，是“权大还是法大”的问题，这是一个真命题。各级党政组织、各级领导干部手中的权力是党和人民赋予的，是上下左右有界受控的，不是可以为所欲为、随心所欲的。要把厉行法治作为治本之策，把权力运行的规矩立起来、讲起来、守起来，真正做到谁把法律当儿戏，谁就必然要受到法律的惩罚。

（89）坚持党的领导，不是一句空的口号，必须具体体现在党领导立法、保证执法、支持司法、带头守法上。要加强党对全面依法治国的集中统一领导，确保党的领导贯彻到依法治国全过程和各方面，不断提高党领导依法治国的能力和水平。

要把依法治国、依法执政、依法行政统一起来，把党总揽全局、协调各方同人大、政府、政协、监察机关、审判机关、检察机关依法依章程履行职能、开展工作统一起来，把党领导人民制定和实施宪法法律同党坚持在宪法法律范围内活动统一起来。要善于使党的主张通过法定程序成为国家意志，善于使党组织推荐的人选通过法定程序成为国家政权机关的领导人员，善于通过国家政权机关实施党对国家和社会的领导，善于运用民主集中制原则维护党和国家权威、维护全党全国团结统一。

（90）全面依法治国必须抓住领导干部这个“关键少数”。我们党领导立法、保证执法、支持司法、带头守法，主要是通过各级领导干部的具体行动和工作来体现、来实现的，他们的信念、决心、行动，对全面推进依法治国具有十分重要的意义。

领导干部必须带头尊崇法治、敬畏法律，了解法律、掌握法律，遵纪守法、捍卫法治，厉行法治、依法办事，不断提高运用法治思维和法治方式深化改革、推动发展、化解矛盾、维护稳定的能力。要做尊法学法守法用法的模范，以实际行动带动全社会弘扬社会主义法治精神，建设社会主义法治文化，不断增强人民群众对法律的内心拥护和真诚信仰，使全体人民都成为社会主义法治的忠实崇尚者、自觉遵守者、坚定捍卫者。

九、以新发展理念引领经济高质量发展

——关于新时代中国特色社会主义经济建设

1. 新发展理念是指挥棒、红绿灯

（91）发展是解决我国一切问题的基础和关键。发展理念是发展行动的先导，是发展思路、发展方向、发展着力点的集中体现。发展理念是否对头，从根本上决定着发展成效乃至成败。

习近平总书记指出：“发展必须是科学发展，必须坚定不移贯彻创新、协调、绿色、开放、共享的发展理念。”新发展理念不是凭空得来的，是在深刻总结国内外发展经验教训、深刻分析国内外发展大势的基础上形成的，是针对我国发展中的突出矛盾和问题提出来的。坚持新发展理念，是关系我国发展全局的

一场深刻变革。

创新是引领发展的第一动力，创新发展注重的是解决发展动力问题，必须把创新摆在国家发展全局的核心位置，让创新贯穿党和国家一切工作。协调是持续健康发展的内在要求，协调发展注重的是解决发展不平衡问题，必须正确处理发展中的重大关系，不断增强发展整体性。绿色是永续发展的必要条件和人民对美好生活追求的重要体现，绿色发展注重的是解决人与自然和谐共生问题，必须实现经济社会发展和生态环境保护协同共进，为人民群众创造良好生产生活环境。开放是国家繁荣发展的必由之路，开放发展注重的是解决发展内外联动问题，必须发展更高层次的开放型经济，以扩大开放推进改革发展。共享是中国特色社会主义的本质要求，共享发展注重的是解决社会公平正义问题，必须坚持全民共享、全面共享、共建共享、渐进共享，不断推进全体人民共同富裕。

创新、协调、绿色、开放、共享的发展理念，相互贯通、相互促进，是具有内在联系的集合体，要统一贯彻，不能顾此失彼，也不能相互替代。哪一个发展理念贯彻不到位，发展进程都会受到影响。

（92）新发展理念丰富发展了中国特色社会主义政治经济学。我们党把马克思主义政治经济学基本原理同改革开放伟大实践结合起来，取得了一系列新的重要理论成果，形成了适应当代中国国情和时代特点的中国特色社会主义政治经济学。新发展理念传承党的发展理论，坚持以人民为中心的发展思想，进一步科学回答了实现什么样的发展、怎样实现发展的问题，深刻揭示了实现更高质量、更有效率、更加公平、更可持续发展的必由之路，深化了我们党对中国特色社会主义经济发展规律的认识，有力指导了我国新的发展实践，开拓了中国特色社会主义政治经济学新境界。

新发展理念具有很强的战略性、纲领性、引领性，必须贯穿经济活动全过程。要努力提高统筹贯彻新发展理念的能力和水平，把新发展理念作为指挥棒、红绿灯，对不适应、不适合甚至违背新发展理念的认识要立即调整，行为要坚决纠正，做法要彻底摒弃，真正做到崇尚创新、注重协调、倡导绿色、厚植开放、推进共享。

2. 我国经济由高速增长转向高质量发展

（93）以经济建设为中心是兴国之要。习近平总书记指出："现阶段，我国经济发展的基本特征就是由高速增长阶段转向高质量发展阶段。"推动高质量发展，是保持经济持续健康发展的必然要求，是适应我国社会主要矛盾变化和全面建成小康社会、全面建设社会主义现代化国家的必然要求，是遵循经济规律发展的必然要求。

党的十八大以来，我们对经济发展阶段性特征的认识不断深化。二〇一三年，党中央作出判断，我国经济发展正处于增长速度换挡期、结构调整阵痛期和前期刺激政策消化期“三期叠加”阶段。二〇一四年，提出我国经济发展进入新常态。新常态是一个客观状态，是我国经济发展到一定阶段必然会出现的一种状态，适应新常态、把握新常态、引领新常态是我国经济发展的大逻辑。在新常态下，我国经济发展的环境、条件、任务、要求等都发生了新的变化，增长速度要从高速转向中高速，发展方式要从规模速度型转向质量效率型，经济结构调整要从增量扩能为主转向调整存量、做优增量并举，发展动力要从主要依靠资源和低成本劳动力等要素投入转向创新驱动。这些变化，是我国经济向形态更高级、分工更优化、结构更合理的阶段演进的必经过程。党的十九大进一步明确提出，我国经济已由高速增长阶段转向高质量发展阶段。

（94）高质量发展，是能够很好满足人民日益增长的美好生活需要的发展，是体现新发展理念的发展，是创新成为第一动力、协调成为内生特点、绿色成为普遍形态、开放成为必由之路、共享成为根本目的的发展。更明确地说，高质量发展，就是经济发展从“有没有”转向“好不好”。

推动高质量发展，是当前和今后一个时期确定发展思路、制定经济政策、实施宏观调控的根本要求。必须坚持质量第一、效益优先，推动经济发展质量变革、效率变革、动力变革，不断增强经济创新力和竞争力。加快形成推动高质量发展的指标体系、政策体系、标准体系、统计体系、绩效评价、政绩考核，创建和完善制度环境，推动我国经济在实现高质量发展上不断取得新进展。

在我国这样一个经济和人口规模巨大的国家，由高速增长阶段转向高质量发展阶段并不容易。一方面，必须跨越非常规的我国经济发展现阶段特有的关口，特别是要打好防范化解重大风险、精准脱贫、污染防治三大攻坚战。另一方面，必须跨越常规性的长期性的关口，也就是要大力转变经济发展方式、优化经济结构、转换增长动力，特别是要净化市场环境，提升人力资本素质，提高国家治理能力。要统筹做好跨越关口的顶层设计，把各项工作做好做实。

综合起来看，我国发展面临的环境更复杂，不确定性更大，风险挑战更多，但我国经济发展健康稳定的基本面没有改变，支撑高质量发展的生产要素条件没有改变，长期稳中向好的总体势头没有改变。只要坚定必胜信念，全面用好我国发展的重要战略机遇期，避免发展陷阱，克服路径依赖，实现弯道超车，高质量发展之路就一定会越走越宽广。

3. 使市场在资源配置中起决定性作用、更好发挥政府作用

（95）坚持社会主义市场经济改革方向，核心问题是处理好政府和市场的关系。处理好政府和市场的关系，实际上就是要处理好在资源配置中市场起决定性作用还是政府起决定性作用这个问题。使市场在资源配置中起决定性作用、更好发挥政府作用，这是我们党在理论和实践上的又一重大推进。

我们党对政府和市场关系的认识经历了一个不断深化的过程。党的十四大提出了我国经济体制改革的目标是建立社会主义市场经济体制，提出“要使市场在社会主义国家宏观调控下对资源配置起基础性作用”。此后，对政府和市场关系，我们党一直在根据实践拓展和认识深化寻找新的科学定位。党的十八大提出“更大程度更广范围发挥市场在资源配置中的基础性作用”。党的十八届三中全会把市场在资源配置中的“基础性作用”修改为“决定性作用”。党的十九大再次强调“使市场在资源配置中起决定性作

用”。这个定位，是我们党对中国特色社会主义建设规律认识的一个新突破，标志着社会主义市场经济发展进入了一个新阶段。

市场决定资源配置是市场经济的一般规律，市场经济本质上就是市场决定资源配置的经济。健全社会主义市场经济体制必须遵循这条规律，着力解决市场体系不完善、政府干预过多和监管不到位问题。积极稳妥从广度和深度上推进市场化改革，大幅度减少政府对资源的直接配置，让市场在所有能够发挥作用的领域都充分发挥作用，推动资源配置实现效益最大化和效率最优化，让企业和个人有更多活力和更大空间去发展经济、创造财富。

市场在资源配置中起决定性作用，并不是起全部作用。我国实行的是社会主义市场经济体制，仍然要坚持发挥社会主义制度的优越性、发挥党和政府的积极作用。政府的职责和作用主要是保持宏观经济稳定，加强和优化公共服务，保障公平竞争，加强市场监管，维护市场秩序，推动可持续发展，促进共同富裕，弥补市场失灵。更好发挥政府作用，不是要更多发挥政府作用，而是要在保证市场发挥决定性作用的前提下，管好那些市场管不了或管不好的事情。

使市场在资源配置中起决定性作用、更好发挥政府作用，二者是有机统一的，不是相互否定的，不能把二者割裂开来、对立起来，既不能用市场在资源配置中的决定性作用取代甚至否定政府作用，也不能用更好发挥政府作用取代甚至否定使市场在资源配置中起决定性作用。

（96）无论是使市场在资源配置中起决定性作用，还是更好发挥政府作用，都必须坚持和完善我国社会主义基本经济制度。公有制为主体、多种所有制经济共同发展的基本经济制度，是中国特色社会主义制度的重要支柱，也是社会主义市场经济体制的根基。习近平总书记指出："我国基本经济制度写入了宪法、党章，这是不会变的，也是不能变的。"

公有制经济和非公有制经济都是社会主义市场经济的重要组成部分，都是我国经济社会发展的重要基础。必须毫不动摇巩固和发展公有制经济，坚持公有制主体地位，发挥国有经济主导作用，深化国有企业改革，发展混合所有制经济，培育具有全球竞争力的世界一流企业，推动国有资本做强做优做大。必须毫不动摇鼓励、支持、引导非公有制经济发展，激发非公有制经济活力和创造力。我国民营经济只能壮大、不能弱化，而且要走向更加广阔的舞台。

公有制经济、非公有制经济应该相辅相成、相得益彰，而不是相互排斥、相互抵消。任何想把公有制经济否定掉或者想把非公有制经济否定掉的观点，都是不符合最广大人民根本利益的，都是不符合我国改革发展要求的，都是错误的。

4. 把推进供给侧结构性改革作为主线

（97）推进供给侧结构性改革，是在全面分析国内经济阶段性特征的基础上调整经济结构、转变经济发展方式的治本良方，是培育增长新动力、形成先发新优势、实现创新引领发展的必然要求。要把推进供给侧结构性改革作为当前和今后一个时期经济发展和经济工作的主线。

供给和需求是市场经济内在关系的两个基本方面，是既对立又统一的辩证关系。没有需求，供给就无从实现，新的需求可以催生新的供给；没有供给，需求就无法满足，新的供给可以创造新的需求。供给侧管理和需求侧管理是调控宏观经济的两个基本手段。需求侧管理，重在解决总量性问题，注重短期调控。供给侧管理，重在解决结构性问题，注重激发经济增长动力。

进入新时代，我国经济发展面临的问题，供给和需求两侧都有，但矛盾的主要方面在供给侧。比如，一些行业和产业产能严重过剩，同时大量关键装备、核心技术、高端产品还依赖进口；农业发展形势很好，但一些供给没有很好适应需求变化；一些有大量购买力支撑的消费需求在国内得不到有效供给，消费者将大把钞票花费在出境购物、“海淘”购物上；等等。事实证明，我国不是需求不足，或没有需求，而是需求变了，供给的产品却没有变，质量、服务跟不上。有效供给能力不足带来大量“需求外溢”，消费能力严重外流。

推进供给侧结构性改革，理解“结构性”三个字十分重要。我国经济运行面临的突出矛盾和问题，虽然有周期性、总量性因素，但根源是重大结构性失衡。概括起来，主要表现为“三大失衡”，即实体经济结构性供需失衡、金融和实体经济失衡、房地产和实体经济失衡。必须把改善供给结构作为主攻方向，实现由低水平供需平衡向高水平供需平衡跃升。同时，世界经济结构正在发生深刻调整，我们也需要从供给侧发力，找准在世界供给市场上的定位。

（98）供给侧结构性改革的根本，是使我国供给能力更好满足广大人民日益增长、不断升级和个性化的物质文化和生态环境需要，从而实现社会主义生产目的。要在稳定总需求的同时，更多采取改革的办法，更多运用市场化、法治化手段，提高供给体系的质量。

深化供给侧结构性改革、推动经济高质量发展，总的要求是“巩固、增强、提升、畅通”八字方针。

要巩固“三去一降一补”成果，推动更多产能过剩行业加快出清，降低全社会各类营商成本，加大基础设施等领域补短板力度。增强微观主体活力，发挥企业和企业家主观能动性，建立公平开放透明的市场规则和法治化营商环境，促进正向激励和优胜劣汰，发展更多优质企业。提升产业链水平，注重利用技术创新和规模效应形成新的竞争优势，培育和发展新的产业集群。畅通国民经济循环，加快建设统一开放、竞争有序的现代市场体系，提高金融体系服务实体经济能力，形成国内市场和生产主体、经济增长和就业扩大、金融和实体经济良性循环。

5. 建设现代化经济体系

（99）国家强，经济体系必须强。建设现代化经济体系，是以习近平同志为核心的党中央从党和国家事业全局出发，着眼于实现“两个一百年”奋斗目标、顺应中国特色社会主义进入新时代的新要求作出的重大战略决策部署。要深刻认识建设现代化经济体系的重要性和艰巨性，科学把握建设现代化经济体系的目标和重点，推动我国经济发展焕发新活力、迈上新台阶。

现代化经济体系，是由社会经济活动各个环节、各个层面、各个领域的相互关系和内在联系构成的有机整体。我们建设的现代化经济体系，要借鉴发达国家有益做法，更要符合中国国情、具有中国特色。要建设创新引领、协同发展的产业体系，统一开放、竞争有序的市场体系，体现效率、促进公平的收入分配体系，彰显优势、协调联动的城乡区域发展体系，资源节约、环境友好的绿色发展体系，多元平衡、安全高效的全面开放体系，充分发挥市场作用、更好发挥政府作用的经济体制。这几个体系是统一整体，要一体建设、一体推进。

大力发展实体经济，筑牢现代化经济体系的坚实基础。实体经济是一国经济的立身之本，是财富创造的根本源泉，是国家强盛的重要支柱。要加快发展先进制造业，坚定不移建设制造强国。推动互联网、大数据、人工智能同实体经济深度融合，推动资源要素向实体经济集聚、政策措施向实体经济倾斜、工作力量向实体经济加强。金融是实体经济的血脉，要全面提高金融为实体经济服务的效率和水平。

加快实施创新驱动发展战略，强化现代化经济体系的战略支撑。科技创新对提高社会生产力和综合国力至关重要。我国科技实力正处于从量的积累向质的飞跃、点的突破向系统能力提升的重要时期。要加强国家创新体系建设，推动以科技创新为核心的全面创新，强化战略科技力量，塑造更多依靠创新驱动、更多发挥先发优势的引领型发展。实践反复告诉我们，关键核心技术是要不来、买不来、讨不来的。要加快关键核心技术自主创新，把创新主动权、发展主动权牢牢掌握在自己手中，为经济社会发展打造新引擎。

积极推动城乡区域协调发展，优化现代化经济体系的空间布局。要培育和发挥区域比较优势，落实主体功能区制度，加强区域优势互补，在协调发展中拓宽发展空间，在加强薄弱领域中增强发展后劲。统筹推进西部大开发、东北全面振兴、中部地区崛起、东部率先发展。推动京津冀协同发展，高起点规划、高标准建设雄安新区，推动粤港澳大湾区建设、长三角区域一体化发展，推动长江经济带发展。大力实施乡村振兴战略，建立健全城乡融合发展体制机制和政策体系，加快推进农业农村现代化。

着力发展开放型经济，提高现代化经济体系的国际竞争力。要适应新形势、把握新特点，推动由商品和要素流动型开放向规则等制度型开放转变。统一内外资法律法规，完善公开、透明的涉外法律体系，全面实行准入前国民待遇加负面清单管理制度，持续放宽市场准入，尊重国际营商惯例，保护外资企业合法权益。推动全球经济治理体系改革完善，积极引导全球经济议程，促进国际经济秩序朝着平等公正、合作共赢的方向发展。拓展对外贸易，培育贸易新业态新模式，推进贸易强国建设。

深化经济体制改革，完善现代化经济体系的制度保障。要加快完善社会主义市场经济体制，坚决破除各方面体制机制弊端，有效激发全社会创新创业活力。经济体制改革必须以完善产权制度和要素市场化配置为重点，实现产权有效激励、要素自由流动、价格反应灵活、竞争公平有序、企业优胜劣汰。要深化四梁八柱性质的改革，以增强微观主体活力为重点，推动相关改革走深走实。

建设现代化经济体系，是我国发展的战略目标，是中国特色社会主义经济发展规律的必然要求，事关我们能否引领世界科技革命和产业变革潮流，事关我们能否赢得国际竞争的主动。要按照建设社会主义现代化强国的要求，加快建设现代化经济体系，为实现人民对美好生活的向往打下更为坚实而强大的物质基础。

十、发展社会主义民主政治

——关于新时代中国特色社会主义政治建设

1. 坚持走中国特色社会主义政治发展道路

（100）人民民主是社会主义的生命。没有民主就没有社会主义，就没有社会主义的现代化，就没有中华民族伟大复兴。社会主义愈发展，民主也愈发展。在前进道路上，要坚定不移走中国特色社会主义政治发展道路，继续推进社会主义民主政治建设、发展社会主义政治文明。

以什么样的思路来谋划和推进中国社会主义民主政治建设，在国家政治生活中具有管根本、管全局、管长远的作用。古今中外，由于政治发展道路选择错误而导致社会动荡、国家分裂、人亡政息的例子比比皆是。中国是一个发展中大国，坚持正确的政治发展道路更是关系根本、关系全局的重大问题。

世界上没有完全相同的政治制度模式，一个国家实行什么样的政治制度，走什么样的政治发展道路，必须与这个国家的国情和性质相适应。新中国成立以来特别是改革开放以来，我们党团结带领人民在发展社会主义民主政治方面取得了重大进展，成功开辟和坚持了中国特色社会主义政治发展道路，为实现最广泛的人民民主确立了正确方向。中国特色社会主义政治发展道路，是近代以来中国人民长期奋斗历史逻辑、理论逻辑、实践逻辑的必然结果，是坚持党的本质属性、践行党的根本宗旨的必然要求。

中国特色社会主义政治发展道路，既有科学的指导思想，又有严谨的制度安排；既有明确的价值取向，又有有效的实现形式和可靠的推动力量。这一政治发展道路的核心思想、主体内容、基本要求，都在宪法中得到了确认和体现，其精神实质紧密联系、相互贯通、相互促进。事实充分证明，中国社会主义民主政治具有强大生命力，中国特色社会主义政治发展道路是符合中国国情、保证人民当家作主的正确道路。

（101）走中国特色社会主义政治发展道路，必须坚持党的领导、人民当家作主、依法治国有机统一。党的领导是人民当家作主和依法治国的根本保证，人民当家作主是社会主义民主政治的本质特征，依法治国是党领导人民治理国家的基本方式，三者统一于我国社会主义民主政治伟大实践。在我国政治生活中，党是领导一切的，坚持党的领导、人民当家作主、依法治国有机统一，最根本的是坚持党的领导。

走中国特色社会主义政治发展道路，必须积极稳妥推进政治体制改革。中国特色社会主义民主是个新事物，也是个好事物。这并不是说，中国政治制度就完美无缺了，就不需要完善和发展了。改革开放以来，我们在坚持根本政治制度、基本政治制度的基础上，不断深化政治体制改革，推进制度体系完善和发展。仅党中央部门就集中进行了五次改革，国务院机构集中进行了八次改革，为坚持和发展中国特色社会主义提供了重要体制机制保障。要持续推进社会主义民主政治制度化、规范化、程序化，保证人民依法通过各种途径和形式管理国家事务，管理经济文化事业，管理社会事务，巩固和发展生动活泼、安定团结的政治局面。

走中国特色社会主义政治发展道路，必须始终保持政治定力。如果这一点把握不好、把握不牢，走偏了方向，不仅政治文明建设很难搞好，而且会给党和人民的事业带来损害。我们需要借鉴国外政治文明有益成果，但绝不能放弃中国政治制度的根本。习近平总书记强调：“照抄照搬他国的政治制度行不通，会水土不服，会画虎不成反类犬，甚至会把国家前途命运葬送掉。只有扎根本国土壤、汲取充沛养分的制度，才最可靠、也最管用。”要保持政治定力，坚持从国情出发、从实际出发，既要把握长期形成的历史传承，又要把握走过的发展道路、积累的政治经验、形成的政治原则，还要把握现实要求、着眼解决现实问题，不能割断历史，不能想象突然就搬来一座政治制度上的“飞来峰”。要坚定对中国特色社会主义政治制度的自信，增强走中国特色社会主义政治发展道路的信心和决心。

2. 用制度体系保证人民当家作主

（102）人民当家作主是社会主义民主政治的本质和核心。习近平总书记指出：“发展社会主义民主政治就是要体现人民意志、保障人民权益、激发人民创造活力，用制度体系保证人民当家作主。”

我国实行工人阶级领导的、以工农联盟为基础的人民民主专政的国体，实行人民代表大会制度的政体，实行中国共产党领导的多党合作和政治协商制度，实行民族区域自治制度，实行基层群众自治制度。这样一套制度安排，是在我国历史传承、文化传统、经济社会发展的基础上长期发展、渐进改进、内生性演化的结果，具有鲜明的中国特色，必须长期坚持、全面贯彻、不断发展。

（103）人民代表大会制度是坚持党的领导、人民当家作主、依法治国有机统一的根本政治制度安排。在中国实行人民代表大会制度，是中国人民在人类政治制度史上的伟大创造，是深刻总结近代以后中国政治生活惨痛教训得出的基本结论，是中国社会一百多年激越变革、激荡发展的历史结果，是中国人民翻身作主、掌握自己命运的必然选择。人民代表大会制度之所以具有强大生命力和显著优越性，关键在于它深深植根于人民之中。实践充分证明，这一新型政治制度是符合中国国情和实际、体现社会主义国家性质、保证人民当家作主、保障实现中华民族伟大复兴的好制度。

在新的奋斗征程上，必须充分发挥人民代表大会制度的根本政治制度作用，继续通过这一制度牢牢把国家和民族前途命运掌握在人民手中。坚持和完善人民代表大会制度，必须毫不动摇坚持中国共产党的领导，保证党的路线方针政策和决策部署在国家工作中得到全面贯彻和有效执行，支持和保证国家政权机关依照宪法法律积极主动、独立负责、协调一致开展工作；必须保证和发展人民当家作主，支持和保证人民通过人民代表大会行使国家权力，发展更加广泛、更加充分、更加健全的人民民主；必须全面推进依法治国，使民主制度化、法律化，实现国家各项工作法治化；必须坚持民主集中制，切实贯彻落实好这一国家组织形式和活动方式的基本原则，保证国家统一高效组织推进各项事业。

（104）中国共产党领导的多党合作和政治协商制度作为我国一项基本政治制度，是中国共产党、中国人民和各民主党派、无党派人士的伟大政治创造，是从中国土壤中生长出来的新型政党制度。说它是新型政党制度，新就新在它是马克思主义政党理论同中国实际相结合的产物，能够真实、广泛、持久代表和实现最广大人民根本利益、全国各族各界根本利益，有效避免了旧式政党制度代表少数人、少数利益集团的弊端；新就新在它把各个政党和无党派人士紧密团结起来、为着共同目标而奋斗，有效避免了一党缺乏监督或者多党轮流坐庄、恶性竞争的弊端；新就新在它通过制度化、程序化、规范化的安排集中各种意见和建议，推动决策科学化民主化，有效避免了旧式政党制度囿于党派利益、阶级利益、区域和集团利益决策施政导致社会撕裂的弊端。政治协商，主要是中国共产党同民主党派协商。坚持和完善中国共产党领导的多党合作和政治协商制度，更好体现这项制度的效能，要坚定不移贯彻长期共存、互相监督、肝胆相照、荣辱与共的方针，着力发挥好民主党派和无党派人士的积极作用。

民族区域自治制度是我国的一项基本政治制度，是中国特色解决民族问题的正确道路的重要内容和制度保障。这一制度符合我国国情，在维护祖国统一、领土完整，在加强民族平等团结、促进民族地区发展、增强中华民族凝聚力等方面都起到了重要作用。民族区域自治是党的民族政策的源头，我们的民族政策都是由此而来、依此而存。民族区域自治不是某个民族独享的自治，民族自治地方更不是某个民族独有的地方，要坚持统一和自治相结合、民族因素和区域因素相结合。落实民族区域自治制度，关键是帮助自治地方发展经济、改善民生。

基层群众自治制度是我国的一项基本政治制度。完善这一制度，发展基层民主，是社会主义民主政治建设的基础。要畅通民主渠道，健全基层选举、议事、公开、述职、问责等机制，促进群众在城乡社区治理、基层公共事务和公益事业中依法自我管理、自我服务、自我教育、自我监督。保障人民依法直接行使民主权利，切实防止出现人民形式上有权、实际上无权的现象。

（105）我国社会主义民主是维护人民根本利益的最广泛、最真实、最管用的民主。

我国的社会主义民主政治制度安排，能够有效保证人民享有更加广泛、更加充实的权利和自由，保证人民广泛参加国家治理和社会治理；能够有效调节国家政治关系，发展充满活力的政党关系、民族关系、宗教关系、阶层关系、海内外同胞关系，增强民族凝聚力，形成安定团结的政治局面；能够集中力量办大事，有效促进社会生产力解放和发展，促进现代化建设各项事业，促进人民生活质量和水平不断提高；能够有效维护国家独立自主，有力维护国家主权、安全、发展利益，维护中国人民和中华民族的福祉。我们完全有信心、有能力把我国社会主义民主政治的优势和特点充分发挥出来，为人类政治文明进步作出充满中国智慧的贡献。

3. 推动协商民主广泛、多层、制度化发展

（106）习近平总书记指出，“协商民主是中国社会主义民主政治中独特的、独有的、独到的民主形式”。社会主义协商民主，是在中国共产党领导下，人民内部各方面围绕改革发展稳定重大问题和涉及群众切身利益的实际问题，在决策之前和决策实施之中开展广泛协商，努力形成共识的重要民主形式。协商民主在我国有根、有源、有生命力，极大地丰富了民主的形

式、拓展了民主的渠道、加深了民主的内涵。

实现民主的形式是丰富多样的，不能拘泥于刻板的模式，更不能说只有一种放之四海而皆准的评判标准。保证和支持人民当家作主，通过依法选举、让人民的代表来参与国家生活和社会生活的管理是十分重要的，通过选举以外的制度和方式让人民参与国家生活和社会生活的管理也是十分重要的。人民只有投票的权利而没有广泛参与的权利，人民只有在投票时被唤醒、投票后就进入休眠期，这样的民主是形式主义的。人民通过选举、投票行使权利和人民内部各方面在重大决策之前进行充分协商，尽可能就共同性问题取得一致意见，是中国社会主义民主的两种重要形式。这两种民主形式不是相互替代、相互否定的，而是相互补充、相得益彰的，共同构成了中国社会主义民主政治的制度特点和优势。

习近平总书记指出："有事好商量，众人的事情由众人商量，是人民民主的真谛。"在人民内部各方面广泛商量的过程，就是发扬民主、集思广益的过程，就是统一思想、凝聚共识的过程，就是科学决策、民主决策的过程，就是实现人民当家作主的过程。要构建程序合理、环节完整的社会主义协商民主体系，确保协商民主有制可依、有规可守、有章可循、有序可遵。发挥人民政协作为协商民主重要渠道和专门协商机构作用，拓宽民主协商渠道，深入开展多种协商，建立健全多种协商方式，统筹推进政党协商、人大协商、政府协商、政协协商、人民团体协商、基层协商以及社会组织协商，保证人民在日常政治生活中有广泛持续深入参与的权利。

4. 全面贯彻党的民族政策、宗教政策

（107）我国是统一的多民族国家。在历史演进中，我国各民族在分布上交错杂居、文化上兼收并蓄、经济上相互依存、情感上相互亲近，形成了你中有我、我中有你，谁也离不开谁的多元一体格局。中华民族和各民族的关系，是一个大家庭和家庭成员的关系，各民族的关系是一个大家庭里不同成员的关系。多民族的大一统，各民族多元一体，是老祖宗留给我们的一笔重要财富，也是我们国家的重要优势。

民族问题的存在是一个长期历史现象，处理民族问题也是一个长期历史过程。处理好民族问题、做好民族工作，是关系祖国统一和边疆巩固的大事，是关系民族团结和社会稳定的大事，是关系国家长治久安和中华民族繁荣昌盛的大事。中国特色解决民族问题的正确道路，就是坚持在中国共产党领导下，坚持中国特色社会主义道路，坚持维护祖国统一，坚持各民

族一律平等，坚持和完善民族区域自治制度，坚持各民族共同团结奋斗、共同繁荣发展，坚持打牢中华民族共同体的思想基础，坚持依法治国，加强各民族交往交流交融，促进各民族和睦相处、和衷共济、和谐发展，巩固和发展平等团结互助和谐的社会主义民族关系，共同实现中华民族伟大复兴。

民族团结是我国各族人民的生命线。做好民族工作，最关键的是搞好民族团结，让各民族在中华民族大家庭中手足相亲、守望相助。在全社会搞好民族团结宣传教育，引导各族群众牢固树立正确的祖国观、历史观、民族观。增进各族群众对伟大祖国、中华民族、中华文化、中国共产党、中国特色社会主义的认同，建设各民族共有精神家园。用法律来保障民族团结，增强各族群众法律意识，坚决反对大汉族主义和狭隘民族主义，自觉维护国家最高利益和民族团结大局。坚持绵绵用力、久久为功，把加强民族团结作为战略性、基础性、长远性工作来做，促进各民族像石榴籽一样紧紧抱在一起。

发展是解决民族地区各种问题的总钥匙。要积极创造条件，千方百计加快少数民族和民族地区经济社会发展，多办一些顺民意、惠民生的实事，多解决一些各族群众牵肠挂肚的问题，促进各民族共同繁荣发展。

（108）宗教工作是一项关系党的执政前途和命运的全局性和战略性工作。党的宗教工作基本方针是：全面贯彻党的宗教信仰自由政策，依法管理宗教事务，坚持独立自主自办原则，积极引导宗教与社会主义社会相适应。习近平总书记指出："把党的宗教工作基本方针坚持好，关键是要在'导'上想得深、看得透、把得准，做到'导'之有方、'导'之有力、'导'之有效，牢牢掌握宗教工作主动权。"

积极引导宗教与社会主义社会相适应，必须坚持中国化方向，提高宗教工作法治化水平。要用社会主义核心价值观引领、用中华文化浸润我国各种宗教，支持各宗教对教规教义作出符合当代中国发展进步要求、符合中华优秀传统文化的阐释。坚决抵御境外利用宗教进行渗透，防范宗教极端思想侵害。引导信教群众遵守国家法律法规，不允许有法外之地、法外之人、法外之教。坚持政教分离，宗教不得干预行政、司法、教育等国家职能实施。要因势利导、趋利避害，引导宗教努力为促进经济发展、社会和谐、文化繁荣、民族团结、祖国统一服务。努力培养更多政治上靠得住、宗教上有造诣、品德上能服众、关键时起作用的宗教界代表人士，发挥好他们在引导信教群众、推动宗教与社会主义社会相适应中的积极作用。

宗教工作本质上是群众工作。群众既有信仰宗教的自由，也有不信仰宗教的自由。要依法保障信教群众正常宗教需求，尊重信教群众的习俗，稳步拓宽信教群众正确掌握宗教常识的合法渠道。广泛宣传党关于宗教问题的理论和方针政策，宣传宗教相关法律法规，加强宗教方面宣传舆论引导。共产党员要做坚定的马克思主义无神论者，严守党章规定，坚定理想信念，牢记党的宗旨，绝不能在宗教中寻找自己的价值和信念。

5. 巩固和发展最广泛的爱国统一战线

（109）统一战线是党的事业取得胜利的重要法宝。在长期的革命、建设、改革过程中，已经结成由中国共产党领导的，有各民主党派和各人民团体参加的，包括全体社会主义劳动者、社会主义事业的建设者、拥护社会主义的爱国者、拥护祖国统一和致力于中华民族伟大复兴的爱国者的广泛的爱国统一战线。这个统一战线将继续巩固和发展。

统战工作的本质要求是大团结大联合。要高举爱国主义、社会主义旗帜，牢牢把握大团结大联合的主题，坚持一致性和多样性统一，找到最大公约数，画出最大同心圆。支持民主党派按照中国特色社会主义参政党要求更好履行职能。全面贯彻党的民族政策、宗教政策，促进民族团结、宗教和睦。加强党外知识分子工作，做好新的社会阶层人士工作，发挥他们在中国特色社会主义事业中的重要作用。构建亲清新型政商关系，促进非公有制经济健康发展和非公有制经济人士健康成长。做好港澳工作、对台工作，广泛团结联系海外侨胞和归侨侨眷，共同致力于中华民族伟大复兴。

联谊交友是统战工作的重要内容，也是统战工作的重要方式。统一战线是做人的工作的，搞统一战线是为了壮大共同奋斗的力量。从某种意义上说，统一战线工作做得好不好，要看交到的朋友多不多、合格不合格、够不够铁。交朋友的面要广，朋友越多越好，特别是要交一些能说心里话的挚友诤友。想交到这样的朋友，不能做快餐，而是要做佛跳墙这样的功夫菜。要坚持讲尊重、讲平等、讲诚恳，也要坚持讲原则、讲纪律、讲规矩，出于公心为党交一大批肝胆相照的好朋友、真朋友。

统一战线是党领导的统一战线。做好新形势下统战工作，最根本的是要坚持党的领导，构建党委统一领导的大统战工作格局。党对统一战线的领导主要是政治领导，即政治原则、政治方向、重大方针政策的领导，主要体现为党委领导而不是部门领导、集体领导而不是个人领导。坚持党的领导要坚定不移，但在这个过程中也要尊重、维护、照顾同盟者的利益，加大党外代表人士培养、选拔、使用工作力度，帮助党外人士排忧解难。这是我们党的职责，也是实现党对统一战线领导的重要条件。

十一、推动社会主义文化繁荣兴盛

——关于新时代中国特色社会主义文化建设

1. 坚持中国特色社会主义文化发展道路

（110）文化是一个国家、一个民族的灵魂。文化自信是更基础、更广泛、更深厚的自信，是一个国家、一个民族发展中更基本、更深沉、更持久的力量。习近平总书记强调：“没有高度的文化自信，没有文化的繁荣兴盛，就没有中华民族伟大复兴。”坚定中国特色社会主义道路自信、理论自信、制度自信，说到底是要坚定文化自信。

独特的文化传统，独特的历史命运，独特的基本国情，注定了我们必然要走适合自己特点的发展道路。中国特色社会主义文化发展道路，揭示了我国文化发展规律，是推动社会主义文化繁荣兴盛的唯一正确道路。要发展中国特色社会主义文化，加强社会主义精神文明建设，激发全民族文化创新创造活力，建设社会主义文化强国。

（111）发展中国特色社会主义文化，就是以马克思主义为指导，坚守中华文化立场，立足当代中国现实，结合当今时代条件，发展面向现代化、面向世界、面向未来的，民族的科学的大众的社会主义文化，推动社会主义精神文明和物质文明协调发展。要坚持为人民服务、为社会主义服务，坚持百花齐放、百家争鸣，坚持创造性转化、创新性发展，不断铸就中华文化新辉煌。

中国特色社会主义是精神文明和物质文明全面发展的社会主义。一个民族要实现复兴，既需要强大的物质力量，也需要强大的精神力量。只有物质文明建设和精神文明建设都搞好，国家物质力量和精神力量都增强，全国各族人民物质生活和精神生活都改善，中国特色社会主义事业才能顺利向前推进。在坚持以经济建设为中心、抓好物质文明建设的同时，必须锲而不舍、一以贯之抓好精神文明建设。

文化是最需要创新的领域。“不日新者必日退”。在人类发展的每一个重大历史关头，文化都能成为时代变迁、社会变革的先导。要自觉承担起举旗帜、聚民心、育新人、兴文化、展形象的使命任务，不断增强脚力、眼力、脑力、笔力，努力在实践创造中进行文化创造，在历史进步中实现文化进步。坚持守正创新，重点抓好理念创新、手段创新、基层工作创新，让一切文化创造源泉充分涌流，使中国特色社会主义文化始终反映时代精神、引领时代潮流。

2. 建设具有强大凝聚力和引领力的社会主义意识形态

（112）意识形态决定文化前进方向和发展道路。习近平总书记指出：“意识形态工作是党的一项极端重要的工作，是为国家立心、为民族立魂的工作。”做好意识形态工作，事关党的前途命运，事关国家长治久安，事关民族凝聚力和向心力。

党的十八大以来，以习近平同志为核心的党中央高度重视意识形态工作，就意识形态领域的许多方向性、战略性问题作出部署，从根本上扭转了意识形态领域一度出现的被动局面，使我国意识形态领域形势发生了全局性、根本性的转变，巩固和发展了主流意识形态。同时要看到，意识形态领域仍不平静，斗争和较量有时十分尖锐。

历史和现实表明，一个政权的瓦解往往是从思想领域开始的。思想防线被攻破了，其他防线就很难守住。在意识形态斗争上，我们没有任何妥协退让的余地，必须取得全胜。必须高举马克思主义、中国特色社会主义伟大旗帜，巩固马克思主义在意识形态领域的指导地位，巩固全党全国人民团结奋斗的共同思想基础，建设具有强大凝聚力和引领力的社会主义意识形态，建设具有强大生命力和创造力的社会主义精神文明，建设具有强大感召力和影响力的中华文化软实力。

党和国家指导思想在我国社会主义意识形态中占据统摄地位，必须持续加强理论武装工作。要做好做强马克思主义宣传教育工作，推动习近平新时代中国特色社会主义思想深入人心，更好把科学理论转化为认识世界、改造世界的强大力量，更好统一全党全国各族人民思想和行动。把坚定“四个自信”作为建设社会主义意识形态的关键，宣传好社会主义现代化建设辉煌成就，讲清楚成就背后的理论逻辑、制度原因，增强干部群众对中国特色社会主义的信心和底气。把凝聚民心作为意识形态工作的出发点和落脚点，既解决实际问题又解决思想问题，更好强信心、聚民心、暖人心、筑同心。

做好意识形态工作，必须坚持和加强党对意识形态工作的全面领导。牢牢掌握意识形态工作领导权，坚持以立为本、立破并举，推进社会主义意识形态建设，使全体人民在理想信念、价值理念、道德观念上紧紧团结在一起。各级党委要切实负起政治责任和领导责任，严格落实意识形态工作责任制。党员干部特别是各级领导干部，要发扬斗争精神，敢抓敢管、敢于亮剑，不做“骑墙派”和“看风派”，不做所谓“开明绅士”，不搞“爱惜羽毛”那一套。加强阵地建设和管理，注意区分政治原则问题、思想认识问题、学术观点问题，旗帜鲜明反对和抵制各种错误观点。

（113）哲学社会科学是人们认识世界、改造世界的重要工具，是推动历史发展和社会进步的重要力量，具有鲜明的意识形态属性。坚持以马克思主义为指导，是当代中国哲学社会科学区别于其他哲学社会科学的根本标志。

坚持马克思主义在我国哲学社会科学领域的指导地位，首先要解决真懂真信的问题，核心要解决好为什么人的问题，最终要落实到怎么用上来。要把研究回答新时代重大理论和现实问题作为主攻方向，按照立足中国、借鉴国外，挖掘历史、把握当代，关怀人类、面向未来的思路，建设具有中国特色、中国风格、中国气派的哲学社会科学，着力体现继承性、民族性，体现原创性、时代性，体现系统性、专业性。深化马克思主义理论研究和建设，加强中国特色新型智库建设，形成有效支撑社会主义意识形态的学科体系、学术体系、话语体系，繁荣中国学术，发展中国理论，传播中国思想。

（114）新闻舆论工作处在意识形态斗争最前沿，是党的一项重要工作，是治国理政、定国安邦的大事。做好党的新闻舆论工作，必须把政治方向摆在第一位，坚持党性原则，坚持党管宣传、党管意识形态、党管媒体，坚持政治家办报、办刊、办台、办新闻网站。

党管媒体，不能说只管党直接掌握的媒体，而是把各级各类媒体都置于党的领导之下。要把党管媒体原则贯彻到新媒体领域，所有从事新闻信息服务、具有媒体属性和舆论动员功能的传播平台都要纳入管理范围，所有新闻信息服务和相关业务从业人员都要实行准入管理。深入开展马克思主义新闻观教育，引导广大新闻舆论工作者自觉抵制西方新闻观等错误观点的影响，做党的政策主张的传播者、时代风云的记录者、社会进步的推动者、公平正义的守望者。坚持正确舆论导向，坚持正面宣传为主，唱响主旋律，弘扬正能量，做大做强主流思想舆论，提高新闻舆论传播力、引导力、影响力、公信力。

3. 用社会主义核心价值观凝心聚力

（115）核心价值观是一个民族赖以维系的精神纽带，是一个国家共同的思想道德基础。如果没有共同的核心价值观，一个民族、一个国家就会魂无定所、行无依归。能否构建具有强大感召力的核心价值观，关系社会和谐稳定，关系国家长治久安。

在当代中国，我们倡导富强、民主、文明、和谐，自由、平等、公正、法治，爱国、敬业、诚信、友善的社会主义核心价值观。社会主义核心价值观，集中体现了当代中国精神，凝结着全体人民共同的价值追求。

人民有信仰，国家有力量，民族有希望。要把培育和践行社会主义核心价值观作为凝魂聚气、强基固本的基础工程，广泛开展社会主义核心价值观宣传教育，不断夯实中国特色社会主义的思想道德基础。

（116）培育和践行社会主义核心价值观，要着力培养担当民族复兴大任的时代新人。核心价值观建设，说到底是人的思想建设、灵魂建设，聚焦的是造就具有正确世界观、人生观、价值观的社会主义建设者。培养时代新人，要坚持立德树人、以文化人，弘扬民族精神和时代精神，加强爱国主义、集体主义、社会主义教育。持续深化社会主义思想道德建设，深入实施公民道德建设工程，加强和改进思想政治工作，推进新时代文明实践中心建设，不断提升人民思想觉悟、道德水准、文明素养和全社会文明程度。

培育和践行社会主义核心价值观，要注重全方位贯穿、深层次融入，在落细、落小、落实上下功夫。要使社会主义核心价值观的影响像空气一样无所不在、无时不有，成为百姓日用而不觉的行为准则。强化教育引导、实践养成、制度保障，把社会主义核心价值观融入社会发展各方面，引导全体人民自觉践行。坚持全民行动、干部带头，从家庭做起，从娃娃抓起。高度重视家风建设、学校教育，引导青少年扣好人生第一粒扣子。广泛开展先进模范学习宣传活动，营造崇尚英雄、学习英雄、捍卫英雄、关爱英雄的浓厚氛围，推动全社会形成见贤思齐的良好风气。把社会主义核心价值观的要求体现到宪法法律、法规规章和公共政策之中，转化为具有刚性约束力的法律规定。

（117）习近平总书记指出："一个民族、一个国家的核心价值观必须同这个民族、这个国家的历史文化相契合，同这个民族、这个国家的人民正在进行的奋斗相结合，同这个民族、这个国家需要解决的时代问题相适应。"

长期以来，一些西方国家把他们演绎的"自由"、"民主"、"人权"等价值观念鼓吹为"普世价值"，在世界范围内进行推销，对那些不听命、不顺从他们的国家，更是挥舞价值观念的大棒进行打压。我们要警惕借所谓"普世价值"抹黑我们党、我国社会主义制度和文化传统的行为，加快构建充分反映中国特色、民族特性、时代特征的价值体系，努力抢占价值体系的制高点。

4. 推动中华优秀传统文化创造性转化、创新性发展

（118）中华优秀传统文化是中华民族的根和魂，是中国特色社会主义植根的文化沃土。习近平总书记高度重视中华优秀传统文化，并将其作为治国理政的重要思想文化资源。他强调，中华优秀传统文化是中华民族的突出优势，是我们在世界文化激荡中站稳脚跟的根基。实现中华民族伟大复兴，必须结合新的时代条件传承和弘扬中华优秀传统文化。

在人类文明历史长河中，中国人民创造了源远流长、博大精深的优秀传统文化，为中华民族生生不息、发展壮大提供了强大精神支撑。中华优秀传统文化的丰富哲学思想、人文精神、价值理念、道德规范等，蕴藏着解决当代人类面临的难题的重要启示，可以为人们认识和改造世界提供有益启迪，可以为治国理政提供有益启示，也可以为道德建设提供有益启发。

（119）习近平总书记指出："不忘本来才能开辟未来，善于继承才能更好创新。"优秀传统文化是一个国家、一个民族传承和发展的根本，如果丢掉了，就割断了精神命脉。

中国共产党从成立之日起，既是中国先进文化的

积极引领者和践行者，又是中华优秀传统文化的忠实传承者和弘扬者。要坚持马克思主义的方法，坚持古为今用、推陈出新，有鉴别地加以对待，有扬弃地予以继承。既不能片面地讲厚古薄今，也不能片面地讲厚今薄古，而是要本着科学的态度，继承和弘扬中华优秀传统文化，努力用中华民族创造的一切精神财富来以文化人、以文育人。

传承和弘扬中华优秀传统文化，要重点做好创造性转化和创新性发展，使之与现实文化相融相通。创造性转化，就是要按照时代特点和要求，对那些至今仍有借鉴价值的内涵和陈旧的表现形式加以改造，赋予其新的时代内涵和现代表达形式，激活其生命力。创新性发展，就是要按照时代的新进步新进展，对中华优秀传统文化的内涵加以补充、拓展、完善，增强其影响力和感召力。

传承和弘扬中华优秀传统文化，要认真汲取其中的思想精华和道德精髓。讲清楚中华优秀传统文化的历史渊源、发展脉络、基本走向，讲清楚其独特创造、价值理念、鲜明特色，增强文化自信和价值观自信。深入挖掘和阐发中华优秀传统文化讲仁爱、重民本、守诚信、崇正义、尚和合、求大同的时代价值，使之成为涵养社会主义核心价值观的重要源泉。系统梳理传统文化资源，让收藏在博物馆里的文物、陈列在广阔大地上的遗产、书写在古籍里的文字都活起来。

传承和弘扬中华优秀传统文化，并不意味着固步自封，闭上眼睛不看世界。中华民族是一个兼容并蓄、海纳百川的民族，在漫长历史进程中，不断学习他人的好东西，把他人的好东西化成自己的东西，这才形成我们的民族特色。文明因多样而交流，因交流而互鉴，因互鉴而发展。对各国人民创造的优秀文明成果，都应该采取学习借鉴的态度，都应该积极吸纳其中的有益成分。要坚持从本国本民族实际出发，坚持取长补短、择善而从，在不断汲取各种文明养分中丰富和发展中华文化。

5. 进行无愧于时代的文艺创造

（120）文艺是时代前进的号角，最能代表一个时代的风貌，最能引领一个时代的风气。举精神旗帜、立精神支柱、建精神家园，是当代中国文艺的崇高使命。推动文艺繁荣发展，要牢固树立马克思主义文艺观，始终坚持以人民为中心的创作导向，生产出无愧于我们这个伟大民族、伟大时代的优秀作品。

文艺事业是党和人民的重要事业，文艺战线是党和人民的重要战线。长期以来，广大文艺工作者在各自领域辛勤耕耘、服务人民，取得了显著成绩，作出了重要贡献。特别是改革开放以来，我国文艺创作迎来了新的春天，文艺园地百花竞放、硕果累累，呈现出繁荣发展的生动景象。同时也不能否认，在文艺创作方面，也存在着有数量缺质量、有“高原”缺“高峰”的现象，有影响力、人们普遍认可的好作品还是不够。文艺不能在市场经济大潮中迷失方向，不能在为什么人的问题上发生偏差，否则文艺就没有生命力。

（121）社会主义文艺，从本质上讲，就是人民的文艺。人民需要文艺，文艺需要人民，文艺要热爱人民。一切优秀文艺工作者的艺术生命都源于人民，一切优秀文艺创作都为了人民。

习近平总书记指出：“文艺创作方法有一百条、一千条，但最根本的方法是扎根人民。”要把满足人民精神文化需求作为文艺和文艺工作的出发点和落脚点，把人民作为文艺表现的主体，把人民作为文艺审美的鉴赏家和评判者，把为人民服务作为文艺工作者的天职。扎根人民、扎根生活开展文艺创作，用现实主义精神和浪漫主义情怀观照现实生活，用光明驱散黑暗，用美善战胜丑恶，让人们看到美好、看到希望、看到梦想就在前方。

中国精神是社会主义文艺的灵魂。文艺是铸造灵魂的工程，文艺工作者是灵魂的工程师。好的文艺作品就应该像蓝天上的阳光、春季里的清风一样，能够启迪思想、温润心灵、陶冶人生，能够扫除颓废萎靡之风。要努力创作生产更多传播当代中国价值观念、体现中华文化精神、反映中国人审美追求，思想性、艺术性、观赏性有机统一的优秀作品。广大文艺工作者要从新时代的伟大创造中发现创作的主题、捕捉创新的灵感，深刻反映我们这个时代的历史巨变，描绘我们这个时代的精神图谱，不断推出讴歌党、讴歌祖国、讴歌人民、讴歌英雄的精品力作。

尊重和遵循文艺规律，切实加强文艺评论工作。要把好文艺批评的方向盘，运用历史的、人民的、艺术的、美学的观点评判和鉴赏作品，在艺术质量和水平上敢于实事求是，对各种不良文艺作品、现象、思潮敢于表明态度，在大是大非问题上敢于表明立场。倡导讲品位、讲格调、讲责任，抵制低俗、庸俗、媚俗。互联网技术和新媒体改变了文艺形态，催生了一大批新的文艺类型，也带来文艺观念和文艺实践的深刻变化。要适应形势发展，抓好网络文艺创作生产，加强正面引导力度。

6. 营造风清气正的网络空间

（122）互联网的迅猛发展，深刻改变着舆论生成方式和传播方式，给不同文化和价值观念交流交融交锋带来前所未有的影响。现在，意识形态领域许多新情况新问题往往因网而生、因网而增，许多错误思潮也都以网络为温床生成发酵，互联网已成为意识形态斗争的主战场。

在互联网这个战场上，能否顶得住、打得赢，直接关系国家政治安全、文化安全、意识形态安全。习近平总书记指出，“谁掌握了互联网，谁就把握住了时代主动权；谁轻视互联网，谁就会被时代所抛弃”，“过不了互联网这一关，就过不了长期执政这一关”。要坚持正能量是总要求，管得住是硬道理，用得好是真本事，科学认识网络传播规律，提高用网治网水平，推动互联网这个最大变量变成事业发展的最大增量。

理直气壮唱响网上主旋律，巩固壮大主流思想舆论，是掌握互联网战场主动权的重中之重。要加强互联网内容建设，做强网上正面宣传，旗帜鲜明坚持正确政治方向、舆论导向、价值取向，用习近平新时代中国特色社会主义思想团结、凝聚亿万网民，推进网上宣传理念、内容、形式、方法、手段等创新，把握好时度效，构建网上网下同心圆，更好凝聚社会共识。深入开展网上舆论斗争，严密防范和抑制网上攻击渗透行为，组织力量对错误思想观点进行批驳。不负责任的言论少一些，对我国社会发展、社会稳定、人民安居乐业只有好处没有坏处。

（123）伴随着信息社会不断发展，新兴媒体影响越来越大。特别是出现了全程媒体、全息媒体、全员媒体、全效媒体，信息无处不在、无所不及、无人不用，导致舆论生态、媒体格局、传播方式发生深刻变化。必须深刻认识全媒体时代的挑战和机遇，推动媒体融合发展，加快构建融为一体、合而为一的全媒体传播格局。

媒体融合发展是一篇大文章。传统媒体和新兴媒体不是取代关系，而是迭代关系；不是谁主谁次，而是此长彼长；不是谁强谁弱，而是优势互补。融合不是简单嫁接，而是要尽快从相加阶段迈向相融阶段，从“你是你、我是我”变成“你中有我、我中有你”，进而变成“你就是我、我就是你”。

全面把握媒体融合发展的趋势和规律，推动媒体融合向纵深发展。要坚持一体化发展方向，实现各种媒介资源、生产要素有效整合，实现信息内容、技术应用、平台终端、管理手段共融互通，打造一批具有强大影响力、竞争力的新型主流媒体。坚持移动优先策略，让主流媒体借助移动传播，牢牢占据舆论引导、思想引领、文化传承、服务人民的传播制高点。探索将人工智能运用在新闻采集、生产、分发、接收、反馈中，全面提高舆论引导能力。

（124）加强网络空间治理，构建良好网络秩序。网络空间天朗气清、生态良好，符合人民利益；网络空间乌烟瘴气、生态恶化，不符合人民利益。要依法依规加强网络空间治理，推动依法管网、依法办网、依法上网，确保互联网在法治轨道上健康运行。提高网络综合治理能力，形成党委领导、政府管理、企业履责、社会监督、网民自律等多主体参与，经济、法律、技术等多种手段相结合的综合治网格局。加强网络伦理、网络文明建设，营造健康网络生态，使我们的网络空间更加清朗。

7. 提高国家文化软实力

（125）文化软实力集中体现了一个国家基于文化而具有的凝聚力和生命力，以及由此产生的吸引力和影响力。古往今来，任何一个大国的发展进程，既是经济总量、军事力量等硬实力提高的进程，也是价值观念、思想文化等软实力提高的进程。提高国家文化软实力，不仅关系我国在世界文化格局中的定位，而且关系我国国际地位和国际影响力，关系“两个一百年”奋斗目标和中华民族伟大复兴中国梦的实现。

提高国家文化软实力要“形于中”而“发于外”，切实把我们自身的文化建设好。要深化文化体制改革，完善文化管理体制，加快构建把社会效益放在首位、社会效益和经济效益相统一的体制机制，推动文化事业全面繁荣、文化产业快速发展，不断丰富人民精神世界、增强人民精神力量。推动公共文化服务标准化、均等化，坚持政府主导、社会参与、重心下移、共建共享，完善公共文化服务体系，提高基本公共文化服务的覆盖面和适用性，切实保障人民群众基本文化权益。大力推动文化领域供给侧结构性改革，推动文化产业高质量发展，健全现代文化产业体系和市场体系，推动各类文化市场主体发展壮大，培育新型文化业态和文化消费模式，增强文化整体实力和竞争力。

（126）讲好中国故事是树立当代中国良好形象、提升国家文化软实力的重要战略任务。近年来，中国特色社会主义实践取得了举世瞩目的伟大成就，国际社会对中国奇迹产生愈加浓厚的兴趣，渴望破解中国成功的秘诀。同时，国际社会对我们的误解也不少，一些西方媒体仍然在“唱衰”中国。在这样复杂的形势下，尤其需要讲好中国故事，传播好中国声音，向世界展现一个真实的中国、立体的中国、全面的中国。

习近平总书记强调：“我们有本事做好中国的事情，还没有本事讲好中国的故事？我们应该有这个信心！”中国故事怎么讲？根本在于传播理念，以理服人，以情动人，以我为主，融通中外。中国故事最精彩的主题，是讲清楚中国共产党为什么“能”、马克思主义为什么“行”、中国特色社会主义为什么“好”。要主动宣介习近平新时代中国特色社会主义思想，主动讲好中国共产党治国理政的故事、中国人民奋斗圆梦的故事、中国坚持和平发展合作共赢的故事，让世界更好了解中国。

讲好中国故事，是提高中华文化影响力的基本途径。要宣介优秀传统文化，把优秀传统文化的精神标识提炼出来、展示出来，把优秀传统文化中具有当代价值、世界意义的文化精髓提炼出来、展示出来。传播优秀当代文化，着力推动反映当代中国发展进步的价值理念、文艺精品、文化成果走向海外，努力进入主流市场、影响主流人群。整合各类资源，推动内宣外宣一体发展，奏响交响乐、唱响大合唱，把中国故事讲得愈来愈精彩，让中国声音愈来愈洪亮。

讲好中国故事，要形成同我国综合国力相适应的国际话语权。落后就要挨打，贫穷就要挨饿，失语就要挨骂。形象地讲，长期以来，我们党带领人民就是要不断解决“挨打”、“挨饿”、“挨骂”这三大问题。经过几代人不懈奋斗，前两个问题基本得到解决，但“挨骂”问题还没有得到根本解决。要下大气力加强国际传播能力建设，完善国际传播工作格局，提升中国话语的国际影响力，让全世界都能听到并听清中国声音。加强对外话语体系建设，创新对外话语表达方式，打造融通中外的新概念新范畴新表述，增强文化传播亲和力，让当代中国形象在世界上不断树立和闪亮起来。

十二、带领人民创造更加幸福美好生活

——关于新时代中国特色社会主义社会建设

1. 增进民生福祉是发展的根本目的

（127）民生是人民幸福之基、社会和谐之本。增进民生福祉是我们党坚持立党为公、执政为民的本质要求。习近平总书记指出：“让老百姓过上好日子是我们一切工作的出发点和落脚点。”

坚持在发展中保障和改善民生。经济发展是民生改善的物质基础，离开经济发展谈改善民生是无源之水、无本之木。我们的发展是以人民为中心的发展，如果发展不能回应人民的期待，不能让群众得到实际利益，这样的发展就失去意义，也不可能持续。要坚持不懈抓发展，不断扩大经济总量，让改革发展成果更多更公平惠及广大人民群众。

抓民生也是抓发展。民生连着内需，连着发展。做好经济社会发展工作，民生是指南针。持续不断改善民生，既能有效解决群众后顾之忧，调动人们发展生产的积极性，又可以增进社会消费预期，扩大内需，催生新的经济增长点，为经济发展、转型升级提供强大内生动力。要全面把握民生和发展相互牵动、互为条件的关系，为经济发展创造更多有效需求，使民生改善和经济发展有效对接、良性循环、相得益彰。

保障和改善民生既要尽力而为，又要量力而行。民生工作直接同老百姓见面、对账，承诺了就要兑现。决不能开空头支票，否则就会失信于民。要坚守底线、突出重点、完善制度、引导预期，持之以恒把民生工作抓好，一件事情接着一件事情办，一年接着一年干，锲而不舍向前走，让群众看到变化、得到实惠。同时，我国仍处于并将长期处于社会主义初级阶段，改善民生不能脱离这个最大实际提出过高目标。要坚持从实际出发，根据经济发展和财力状况逐步提高人民生活水平，做那些现实条件下可以做到的事情。

2. 紧紧抓住人民最关心最直接最现实的利益问题

（128）民生工作离老百姓最近，同老百姓生活最密切。必须抓住人民最关心最直接最现实的利益问题，抓住最需要关心的人群，在更高水平上实现幼有所育、学有所教、劳有所得、病有所医、老有所养、住有所居、弱有所扶，让人民有更多、更直接、更实在的获得感、幸福感、安全感。

教育是民族振兴、社会进步的重要基石，是国之大计、党之大计，对提高人民综合素质、促进人的全面发展、增强中华民族创新创造活力、实现中华民族伟大复兴具有决定性意义。必须把教育事业放在优先位置，深化教育改革，加快教育现代化，建设教育强国，办好人民满意的教育。要全面贯彻新时代党的教育方针，坚持社会主义办学方向，落实立德树人根本任务，发展素质教育，推进教育公平，培养德智体美劳全面发展的社会主义建设者和接班人。推动城乡义务教育一体化发展，努力让每个孩子都能享有公平而有质量的教育。完善职业教育和培训体系，加快一流大学和一流学科建设。办好思想政治理论课，加强师德师风建设，培养高素质教师队伍，倡导全社会尊师重教。加快建设学习型社会，大力提高国民素质。

就业是最大的民生工程、民心工程、根基工程。要把稳就业摆在突出位置，实施就业优先政策，实现更高质量和更充分就业。大规模开展职业技能培训，全面提升劳动者素质，注重解决结构性就业矛盾。提供全方位公共就业服务，促进高校毕业生等青年群体、农民工多渠道就业创业。破除妨碍劳动力、人才社会性流动的体制机制弊端，使人人都有通过辛勤劳动实现自身发展的机会。完善政府、工会、企业共同参与的协商协调机制，构建和谐劳动关系，努力让劳动者实现体面劳动、全面发展。

收入分配是民生之源，是改善民生、实现发展成果由人民共享最重要最直接的方式。要坚持按劳分配原则，完善按要素分配的体制机制，促进收入分配更合理、更有序。鼓励勤劳守法致富，扩大中等收入群体，增加低收入者收入，调节过高收入，取缔非法收入。坚持在经济增长的同时实现居民收入同步增长、在劳动生产率提高的同时实现劳动报酬同步提高。拓宽居民劳动收入和财产性收入渠道。履行好政府再分配调节职能，缩小收入分配差距。

社会保障发挥着社会稳定器作用。要按照兜底线、织密网、建机制的要求，全面建成覆盖全民、城乡统筹、权责清晰、保障适度、可持续的多层次社会保障体系。全面实施全民参保计划，完善城镇职工基本养老保险和城乡居民基本养老保险制度，完善统一的城乡居民基本医疗和大病保险制度，完善失业、工伤保险制度。统筹城乡社会救助体系，保障妇女儿童合法权益，发展残疾人事业，提高社会福利水平。坚持房子是用来住的、不是用来炒的定位，加快建立多主体供给、多渠道保障、租购并举的住房制度，让全体人民住有所居。

人民健康是民族昌盛和国家富强的重要标志。无论社会发展到什么程度，都要毫不动摇把公益性写在医疗卫生事业的旗帜上，不能走全盘市场化、商业化的路子。要深化医药卫生体制改革，健全现代医院管理制度。完善国民健康政策，倡导健康文明生活方式。实施食品安全战略，让人民吃得放心。促进生育政策和相关经济社会政策配套衔接。积极应对人口老龄化，加快老龄事业和产业发展。广泛开展全民健身活动，加快推进体育强国建设。

（129）民生无小事，枝叶总关情。习近平总书记反复强调，“我最牵挂的还是困难群众”。在保障和改善民生过程中，要格外关注困难群众，时刻把他们的安危冷暖放在心上，关心他们的疾苦，千方百计帮助他们排忧解难。少做一些锦上添花、花上垒花的虚功，多做一些雪中送炭、急人之困的工作。

3. 坚决打赢脱贫攻坚战

（130）小康不小康，关键看老乡，关键看贫困老乡能不能脱贫。习近平总书记指出：“贫穷不是社会主义。如果贫困地区长期贫困，面貌长期得不到改变，群众生活长期得不到明显提高，那就没有体现我国社会主义制度的优越性，那也不是社会主义。”

新中国成立以来特别是改革开放以来，我们党带领人民持续向贫困宣战，实施大规模扶贫开发行动，使贫困人口大幅减少，贫困群众生活水平显著提高，贫困地区面貌发生根本变化。党的十八大以来，党中央实施精准扶贫、精准脱贫，加大扶贫投入，创新扶贫方式，扶贫开发工作呈现新局面。

经过长期持续努力，我们成功走出了一条中国特色扶贫开发道路，使七亿多贫困人口成功脱贫，为全面建成小康社会打下了坚实基础。我国成为世界上减贫人口最多的国家，也是世界上率先完成联合国千年发展目标的国家。这个成就，足以载入人类社会发展史册，也足以向世界证明中国共产党领导和中国特色社会主义制度的优越性。

习近平总书记强调：“脱贫攻坚战进入决胜的关键阶段，务必一鼓作气、顽强作战，不获全胜决不收兵。”要以更大的决心、更明确的思路、更精准的举措、超常规的力度，众志成城，确保到二〇二〇年我国现行标准下农村贫困人口实现脱贫，贫困县全部摘帽，解决区域性整体贫困，做到脱真贫、真脱贫。打赢脱贫攻坚战，中华民族千百年来存在的绝对贫困问题，将在我们这一代人的手里历史性地得到解决。

（131）脱贫攻坚贵在精准，重在精准，成败之举在于精准。开对“药方子”，才能拔掉“穷根子”。要注重扶持对象精准、项目安排精准、资金使用精准、措施到户精准、因村派人精准、脱贫成效精准，坚持因人因地施策、因贫困原因施策、因贫困类型施策，做到对症下药、靶向治疗。解决好扶持谁、谁来扶、怎么扶、如何退问题，扶贫扶到点上扶到根上。实施“五个一批”工程，即发展生产脱贫一批，易地搬迁脱贫一批，生态补偿脱贫一批，发展教育脱贫一批，社会保障兜底一批。稳定实现贫困人口“两不愁三保障”，即不愁吃不愁穿，义务教育、基本医疗、住房安全有保障。

幸福不会从天而降，好日子是干出来的。各级党委和政府必须坚定信心、勇于担当，把脱贫职责扛在肩上，把脱贫任务抓在手上。特别是脱贫攻坚任务重的地区党委和政府，要把脱贫攻坚作为第一民生工程来抓，层层压实责任，级级传导压力。坚持大扶贫格局，深入实施东西部扶贫协作，重点攻克深度贫困地区脱贫任务。坚持把扶贫同扶志、扶智结合起来，引导贫困群众树立“宁愿苦干、不愿苦熬”的观念，自力更生、艰苦奋斗，用自己的辛勤劳动实现脱贫致富。

4. 打造共建共治共享的社会治理格局

（132）社会治理是国家治理的重要领域，社会治理现代化是国家治理体系和治理能力现代化的题中应有之义。加强和创新社会治理，逐步实现社会治理结构的合理化、治理方式的科学化、治理过程的民主化，将有力推进国家治理现代化的进程。

总体上看，当前我国社会治理体系不断完善，社会安全稳定形势持续向好，人民生命财产安全得到有效维护，广大人民群众的安全感和满意度不断增强。也要清醒看到，在社会大局总体稳定的同时，社会利益关系日趋复杂，社会阶层结构分化，社会矛盾和问题交织叠加，人民群众对社会事务参与意愿更加强烈，社会治理面临的形势环境更为复杂，我们的社会治理工作在很多方面还跟不上。

新时代进一步加强和创新社会治理，要坚持问题导向，把专项治理和系统治理、综合治理、依法治理、源头治理结合起来，坚定不移走中国特色社会主义社会治理之路，打造共建共治共享的社会治理格局，形成人人有责、人人尽责的社会治理共同体。

（133）加强和创新社会治理，关键在体制创新，核心是人。只有人与人和谐相处，社会才会安定有序。

要以最广大人民根本利益为坐标，加强社会治理制度建设，完善党委领导、政府负责、社会协同、公众参与、法治保障的社会治理体制，提高社会治理社会化、法治化、智能化、专业化水平。加强预防和化解社会矛盾机制建设，善于运用法治、民主、协商的办法正确处理人民内部矛盾和社会矛盾，发动全社会一起来做好维护社会稳定工作。树立安全发展理念，弘扬生命至上、安全第一的思想，健全公共安全体系，编织全方位、立体化的公共安全网。加强社会治安综合治理，打造社会治安防控体系，建设更高水平的平安中国。健全社会心理服务体系和疏导机制、危机干预机制，塑造自尊自信、理性平和、亲善友爱的社会心态。

社会治理的重心必须向基层下移，落实到城乡社区。城乡社区处于党同群众连接的“最后一公里”，做好社区治理工作十分重要。要推进社区治理体系建设，把更多资源、服务、管理放到社区，更好提供精准化、精细化服务，实现政府治理和社会调节、居民自治良性互动。强化农村社会治理，打造充满活力、和谐有序的善治乡村。坚持好发展好“枫桥经验”，争取做到“小事不出村，大事不出镇，矛盾不上交”。

习近平总书记指出：“社会治理是一门科学，管得太死，一潭死水不行；管得太松，波涛汹涌也不行。”必须正确处理好维稳与维权、活力与秩序的关系，充分调动一切积极因素，确保社会既充满生机活力又保持安定有序。

十三、建设美丽中国

——关于新时代中国特色社会主义生态文明建设

1. 坚持人与自然和谐共生

（134）人与自然的关系是人类社会最基本的关系。马克思主义认为，人靠自然界生活。人类在同自然的互动中生产、生活、发展。中华文明强调要把天地人统一起来，按照大自然规律活动，取之有时，用之有度。习近平总书记指出：“自然是生命之母，人与自然是生命共同体，人类必须敬畏自然、尊重自然、顺应自然、保护自然。”保护自然就是保护人类，建设生态文明就是造福人类。

生态兴则文明兴，生态衰则文明衰。生态环境是人类生存和发展的根基，生态环境变化直接影响文明兴衰演替。古今中外这方面的事例众多。古代埃及、古代巴比伦、古代印度、古代中国四大文明古国均发源于森林茂密、水量丰沛、田野肥沃的地区。而生态环境衰退特别是严重的土地荒漠化导致古代埃及、古代巴比伦衰落。我国古代一些地区也有过惨痛教训。河西走廊、黄土高原都曾经水丰草茂，由于毁林开荒、乱砍滥伐，致使生态环境遭到严重破坏，加剧了经济衰落。

历史教训表明，在整个发展过程中，不能只讲索取不讲投入，不能只讲发展不讲保护，不能只讲利用不讲修复。人类只有遵循自然规律才能有效防止在开发利用自然上走弯路，人类对大自然的伤害最终会伤及人类自身，这是无法抗拒的规律。

（135）生态环境是关系党的使命宗旨的重大政治问题，也是关系民生的重大社会问题。改革开放以来，我国经济发展取得巨大成就，也积累了大量生态环境问题，成为明显的短板。各类环境污染呈高发态势，一段时间内成为民生之患、民心之痛。随着我国社会主要矛盾发生变化，人民群众对优美生态环境的需要成为这一矛盾的重要方面，广大人民群众热切期盼加快提高生态环境质量。必须把生态文明建设摆在全局工作的突出地位，积极回应人民群众所想、所盼、所急，大力推进生态文明建设。

党的十八大以来，我们党围绕生态文明建设提出了一系列新理念新思想新战略，开展一系列根本性、开创性、长远性工作，生态文明理念日益深入人心，污染治理力度之大、制度出台频度之密、监管执法尺度之严、环境质量改善速度之快前所未有，推动生态环境保护发生历史性、转折性、全局性变化。同时必须清醒看到，过去多年高增长积累的环境问题解决起来绝非一朝一夕之功，生态环境治理成效并不稳固，稍有松懈就有可能出现反复。生态文明建设仍处于压力叠加、负重前行的关键期，已进入提供更多优质生态产品以满足人民日益增长的优美生态环境需要的攻坚期，也到了有条件有能力解决生态环境突出问题的窗口期。如果现在不抓紧，将来解决起来难度会更高、代价会更大、后果会更重。必须咬紧牙关，爬过这个坡，迈过这道坎。

生态文明建设是关系中华民族永续发展的根本大计。习近平总书记指出："要像保护眼睛一样保护生态环境，像对待生命一样对待生态环境。"生态环境没有替代品，用之不觉，失之难存。必须坚持节约优先、保护优先、自然恢复为主的方针，坚定不移走生产发展、生活富裕、生态良好的文明发展道路，建设人与自然和谐共生的现代化，建设望得见山、看得见水、记得住乡愁的美丽中国。

2. 绿水青山就是金山银山

（136）习近平总书记指出："我们既要绿水青山，

也要金山银山。宁要绿水青山，不要金山银山，而且绿水青山就是金山银山。”这是重要的发展理念，也是推进现代化建设的重大原则。

绿水青山就是金山银山，阐述了经济发展和生态环境保护的关系，揭示了保护生态环境就是保护生产力、改善生态环境就是发展生产力的道理，指明了实现发展和保护协同共生的新路径。生态环境保护和经济发展不是矛盾对立的关系，而是辩证统一的关系。良好生态本身蕴含着无穷的经济价值，能够源源不断创造综合效益，实现经济社会可持续发展。生态环境保护的成败归根到底取决于经济结构和经济发展方式。经济发展不应是对资源和生态环境的竭泽而渔，生态环境保护也不应是舍弃经济发展的缘木求鱼，而是要坚持在发展中保护、在保护中发展。

良好生态环境是最公平的公共产品，是最普惠的民生福祉。对人的生存来说，金山银山固然重要，但绿水青山是人民幸福生活的重要内容，是金钱不能代替的。挣到了钱，但空气、饮用水都不合格，哪有什么幸福可言。环境就是民生，青山就是美丽，蓝天也是幸福。发展经济是为了民生，保护生态环境同样也是为了民生。要坚持生态惠民、生态利民、生态为民，以解决损害群众健康的突出环境问题为重点，坚决打好污染防治攻坚战，让良好生态环境成为人民幸福生活的增长点。

绿水青山既是自然财富、生态财富，又是社会财富、经济财富。要坚定不移保护绿水青山这个“金饭碗”，利用自然优势发展特色产业，因地制宜壮大“美丽经济”。在一些生态环境资源丰富又相对贫困的地区，要通过改革创新，让土地、劳动力、资产、自然风光等要素活起来，让资源变资产、资金变股金、农民变股东，把绿水青山蕴含的生态产品价值转化为金山银山。

3. 推动形成绿色发展方式和生活方式

（137）绿色是生命的象征、大自然的底色。绿色发展，就其要义来讲，是要解决好人与自然和谐共生问题。习近平总书记指出：“推动形成绿色发展方式和生活方式，是发展观的一场深刻革命。”

生态环境问题归根结底是发展方式和生活方式问题。要从根本上解决生态环境问题，必须贯彻绿色发展理念，坚决摒弃损害甚至破坏生态环境的增长模式，加快形成节约资源和保护环境的空间格局、产业结构、生产方式、生活方式，把经济活动、人的行为限制在自然资源和生态环境能够承受的限度内，给自然生态留下休养生息的时间和空间。

（138）加快形成绿色发展方式，重点是调整经济结构和能源结构，优化国土空间开发布局，培育壮大节能环保产业、清洁生产产业、清洁能源产业，推进生产系统和生活系统循环链接。要加快划定并严守生态保护红线、环境质量底线、资源利用上线三条红线。对突破三条红线、仍然沿用粗放增长模式、吃祖宗饭砸子孙碗的事，绝对不能再干，绝对不允许再干。

加快形成绿色生活方式，要在全社会牢固树立生态文明理念，增强全民节约意识、环保意识、生态意识，培养生态道德和行为习惯，让天蓝地绿水清深入人心。开展全民绿色行动，倡导简约适度、绿色低碳的生活方式，反对奢侈浪费和不合理消费，形成文明健康的生活风尚。通过生活方式绿色革命，倒逼生产方式绿色转型，把建设美丽中国转化为全体人民自觉行动。

（139）建设绿色家园是各国人民的共同梦想。纵观人类文明发展史，工业化进程创造了前所未有的物质财富，也产生了难以弥补的生态创伤。杀鸡取卵、竭泽而渔的发展方式走到了尽头，顺应自然、保护生态的绿色发展昭示着未来。保护生态环境、应对气候变化需要世界各国同舟共济、共同努力，任何一国都无法置身事外、独善其身。

我国已成为全球生态文明建设的重要参与者、贡献者、引领者，主张加快构筑尊崇自然、绿色发展的生态体系，共建清洁美丽世界。要深度参与全球环境治理，引导应对气候变化国际合作，增强我国在全球环境治理体系中的话语权和影响力。与世界各国共同呵护好地球家园，同筑生态文明之基，同走绿色发展之路，让子孙后代既能享有丰富的物质财富，又能遥望星空、看见青山、闻到花香。

4. 统筹山水林田湖草系统治理

（140）山水林田湖草是一个生命共同体。人的命脉在田，田的命脉在水，水的命脉在山，山的命脉在土，土的命脉在林和草，这个生命共同体是人类生存发展的物质基础。生态是统一的自然系统，是相互依存、紧密联系的有机链条。要用系统论的思想方法看问题，从系统工程和全局角度寻求新的治理之道。

统筹山水林田湖草系统治理，一定要算大账、算长远账、算整体账、算综合账。如果因小失大、顾此失彼，最终必然对生态环境造成系统性、长期性破坏。要按照生态系统的整体性、系统性及其内在规律，统筹考虑自然生态各要素、山上山下、地上地下、陆地海洋以及流域上下游，进行整体保护、系统修复、综合治理，增强生态系统循环能力，维护生态平衡。

深入实施山水林田湖草一体化生态保护和修复。生态保护和修复不能各管一摊、相互掣肘，而必须统筹兼顾、整体施策、多措并举。要实施重要生态系统保护和修复重大工程，增强生态产品生产能力，开展大规模国土绿化行动，加快水土流失和荒漠化、石漠化综合治理，扩大湖泊、湿地面积，保护生物多样性，着力扩大环境容量生态空间，全面提升自然生态系统稳定性和生态服务功能，筑牢生态安全屏障。

5. 实行最严格的生态环境保护制度

（141）保护生态环境必须依靠制度、依靠法治。习近平总书记指出："只有实行最严格的制度、最严密的法治，才能为生态文明建设提供可靠保障。"当前，我国生态环境保护中存在的突出问题，大多同体制不健全、制度不严格、法治不严密、执行不到位、惩处不得力有关。必须把制度建设作为推进生态文明建设的重中之重，深化生态文明体制改革，把生态文明建设纳入制度化、法治化轨道。

加快制度创新，增加制度供给，完善制度配套，构建产权清晰、多元参与、激励约束并重、系统完整的生态文明制度体系。要建立归属清晰、权责明确、监管有效的自然资源资产产权制度；以空间规划为基础、以用途管制为主要手段的国土空间开发保护制度；以空间治理和空间结构优化为主要内容，全国统一、相互衔接、分级管理的空间规划体系；覆盖全面、科学规范、管理严格的资源总量管理和全面节约制度；反映市场供求和资源稀缺程度、体现自然价值和代际补偿的资源有偿使用和生态补偿制度；以改善环境质量为导向，监管统一、执法严明、多方参与的环境治理体系；更多运用经济杠杆进行环境治理和生态保护的市场体系；充分反映资源消耗、环境损害、生态效益的生态文明绩效评价考核和责任追究制度。

制度的生命力在于执行。要强化中央环境保护督察权威，加强力量配备，并推动向纵深发展，保证党中央关于生态文明建设决策部署落地生根见效。对破坏生态环境的行为不能手软，要下大气力抓住破坏生态环境的反面典型，释放出严加惩处的强烈信号。对任何地方、任何时候、任何人，凡是需要追责的，必须一追到底，决不能让制度规定成为“没有牙齿的老虎”。

生态环境保护能否落到实处，关键在领导干部。一些重大生态环境事件背后，都有领导干部不负责任、不作为的问题，都有一些地方环保意识不强、履职不到位、执行不严格的问题，都有环保有关部门执法监督作用发挥不到位、强制力不够的问题。要落实领导干部生态文明建设责任制，严格考核问责。对那些不顾生态环境盲目决策、造成严重后果的人，必须追究其责任，而且应该终身追责。

十四、坚决维护国家主权、安全、发展利益

——关于新时代坚持总体国家安全观

1. 国家安全是安邦定国的重要基石

（142）国家安全是国家生存发展的基本前提。维护国家安全是全国各族人民根本利益所在。习近平总书记强调："我们党要巩固执政地位，要团结带领人民坚持和发展中国特色社会主义，保证国家安全是头等大事。"

统筹发展和安全，增强忧患意识，做到居安思危，是我们党治国理政的一个重大原则。当前，我国面临复杂多变的安全和发展环境，各种可以预见和难以预见的风险因素明显增多，各方面风险可能不断积累甚至集中显露。国家安全内涵和外延比历史上任何时候都要丰富，时空领域比历史上任何时候都要宽广，

内外因素比历史上任何时候都要复杂，维护国家安全和社会稳定的任务十分艰巨。

（143）在准确把握国家安全形势变化新特点新趋势的基础上，以习近平同志为核心的党中央创新国家安全理念，统揽国家安全全局，创造性提出总体国家安全观。总体国家安全观把我们党对国家安全的认识提升到了新的高度和境界，为破解我国国家安全面临的难题、推进新时代国家安全工作提供了基本遵循。

总体国家安全观关键在“总体”，强调的是做好国家安全工作的系统思维和方法，突出的是“大安全”理念，涵盖政治、军事、国土、经济、文化、社会、科技、网络、生态、资源、核、海外利益、太空、深海、极地、生物等诸多领域，无所不在，而且将随着社会发展不断拓展。贯彻总体国家安全观，要求我们既重视发展问题又重视安全问题，既重视外部安全又重视内部安全，既重视国土安全又重视国民安全，既重视传统安全又重视非传统安全，既重视自身安全又重视共同安全。要完善国家安全制度体系，加强国家安全能力建设，坚决维护国家主权、安全、发展利益。

2. 走出一条中国特色国家安全道路

（144）坚持总体国家安全观，必须坚持国家利益至上，以人民安全为宗旨，以政治安全为根本，以经济安全为基础，以军事、文化、社会安全为保障，以促进国际安全为依托，维护各领域国家安全，构建国家安全体系，走中国特色国家安全道路。

坚持统筹发展和安全两件大事。发展是安全的基础和目的，安全是发展的条件和保障，发展和安全要同步推进。既要善于运用发展成果夯实国家安全的实力基础，又要善于塑造有利于经济社会发展的安全环境，以发展促安全、以安全保发展，努力建久安之势、成长治之业。

坚持人民安全、政治安全、国家利益至上的有机统一。人民安全是国家安全的宗旨，政治安全是国家安全的根本，国家利益至上是国家安全的准则。要坚持国家安全一切为了人民、一切依靠人民，为人民创造良好生存发展条件和安定生产生活环境；把政权安全、制度安全放在首要位置，为国家安全提供根本政治保证；把国家利益作为制定国家安全战略的出发点，更坚决更有效地维护好捍卫好国家利益尤其是核心利益，实现人民安居乐业、党的长期执政、国家长治久安。

坚持立足于防，又有效处置风险。面对波谲云诡的国际形势、复杂敏感的周边环境、艰巨繁重的改革发展稳定任务，我们必须始终保持高度警惕。既要警惕“黑天鹅”事件，也要防范“灰犀牛”事件；既要有防范风险的先手，也要有应对和化解风险挑战的高招；既要打好防范和抵御风险的有准备之战，也要打好化险为夷、转危为机的战略主动战。

坚持维护和塑造国家安全。维护国家安全，要立足国际秩序大变局来把握，立足防范风险的大前提来统筹，立足我国发展重要战略机遇期大背景来谋划，保持战略定力、战略自信、战略耐心，把战略主动权牢牢掌握在自己手中。塑造是更高层次更具前瞻性的维护，要发挥负责任大国作用，引导国际社会共同塑造更加公正合理的国际新秩序，推动各方朝着互利互惠、共同安全的目标相向而行。

坚持科学统筹。要统筹处理好安全领域的各类问题，科学研判、辩证分析，全面把握、协调推进，既注重总体谋划，又要以重点突破带动整体推进，切实做好国家安全各项工作。加强国家安全教育，增强全党全国人民国家安全意识，充分调动各方面积极性，推动全社会形成维护国家安全的强大合力。

坚持党对国家安全工作的绝对领导，是做好国家安全工作的根本原则，是维护国家安全和社会安定的根本保证。要建立健全党委统一领导的国家安全工作责任制，实施更为有力的统领和协调，做到守土有责、守土尽责。

3. 维护重点领域国家安全

（145）维护重点领域国家安全是主阵地、主战场。全面贯彻落实总体国家安全观，要聚焦重点，抓纲带目，把确保政治安全作为首要任务，统筹推进各重点领域国家安全工作。

维护政治安全。政治安全的核心是政权安全和制度安全，最根本的就是维护中国共产党的领导和执政地位、维护中国特色社会主义制度。各种敌对势力从来没有停止对我国实施西化、分化战略，从来没有停止对中国共产党领导和我国社会主义制度进行颠覆破坏活动，始终企图在我国策划“颜色革命”。要坚持党对一切工作的领导，切实加强意识形态工作，持续巩固壮大主流舆论强势，严密防范和坚决打击各种渗透颠覆破坏活动。高度重视对青年一代的思想政治工作，教育引导广大青年自觉坚持党的领导，听党话、跟党走。

维护国土安全。国土安全是立国之基。要提升维护国土安全能力，加强边防、海防、空防建设，坚决捍卫领土主权和海洋权益，有效遏制侵害我国国土安全的各种图谋和行为，筑牢国土安全的铜墙铁壁。坚决反对一切分裂祖国的活动，深入打击恐怖主义、分裂主义、极端主义这“三股势力”，坚决防范“藏独”、“东突”，坚决挫败任何形式的“台独”分裂图谋，全力维护香港、澳门长期繁荣稳定。

维护经济安全。经济安全是国家安全的基础。维护经济安全首先要保证基本经济制度安全。要保障关系国民经济命脉的重要行业和关键领域安全。健全金融宏观审慎管理和金融风险防范、处置机制，防范和化解系统性、区域性金融风险，防范和抵御外部金融风险的冲击。保障经济社会发展所需的资源能源持续、可靠和有效供给。确保国家粮食安全，把中国人的饭碗牢牢端在自己手中。加强自主创新能力建设，加快发展自主可控的战略高新技术和重要领域关键核心技术，保障重大技术和工程的安全。

维护社会安全。社会安全与人民群众切身利益关系最密切，是人民群众安全感的晴雨表，是社会安定的风向标。随着经济发展、社会进步，人民群众对过上美好生活有更高的期待，对社会安全有更高的标准。要积极预防、减少和化解社会矛盾，妥善处置公共卫生、重大灾害等影响国家安全的突发事件。深入推进扫黑除恶专项斗争，坚持保障合法权益和打击违法犯罪两手都要硬、都要快。

维护网络安全。网络安全已经成为我国面临的最复杂、最现实、最严峻的非传统安全问题之一。没有网络安全就没有国家安全，就没有经济社会稳定运行，广大人民群众利益也难以得到保障。要加强网络综合治理，形成从技术到内容、从日常安全到打击犯罪的网络治理合力。坚持自力更生、自主创新，加速推动信息领域核心技术突破。加强关键信息基础设施网络安全防护，不断增强网络安全防御能力和威慑能力。加强网络安全预警监测，切实保障国家数据安全，切实维护国家网络空间主权安全。

维护外部安全。和平稳定的国际环境和国际秩序是国家安全的重要保障。要坚持共同、综合、合作、可持续的新安全观，积极塑造外部安全环境，加强安全领域合作，引导国际社会共同维护国际安全。切实维护我国海外利益安全，保护海外中国公民、组织和机构的安全和正当权益，努力形成强有力的海外利益安全保障体系。

4.增强忧患意识、防范风险挑战

（146）“安而不忘危，存而不忘亡，治而不忘乱。”忧患意识是中华民族的一个重要精神特质。我们党是生于忧患、成长于忧患、壮大于忧患的政党。习近平总书记指出：“我们共产党人的忧患意识，就是忧党、忧国、忧民意识，这是一种责任，更是一种担当。”

九十多年来，中国共产党所取得的成就与进步震古烁今，所经历的困难与风险世所罕见。其中有危难之际的绝处逢生，有挫折之后的毅然奋起，有失误之后的拨乱反正，有磨难面前的百折不挠，既充满艰险又充满神奇，既历尽苦难又辉煌迭出。有困难、有风险、有危机、有曲折，都不可怕，关键在于我们党始终勇于面对、遇变不惊、攻坚克难、化险为夷。正是一代代中国共产党人心存忧患、肩扛重担，才团结带领中国人民不断从胜利走向新的胜利。

当前，我国正处于一个大有可为的历史机遇期，发展形势总的是好的，大局是稳定的。但我们面临的风险也是多方面的，有外部风险，也有内部风险；有一般风险，也有重大风险。重大风险既包括国内的经济、政治、意识形态、社会风险以及来自自然界的风险，也包括国际经济、政治、军事风险等。特别是要看到，各种威胁和挑战联动效应明显，各种矛盾风险挑战源、各类矛盾风险挑战点相互交织、相互作用。如果发生重大风险又扛不住，国家安全就可能面临重大威胁，实现中华民族伟大复兴的进程就可能迟滞或被迫中断。

（147）习近平总书记强调：“前进的道路不可能一帆风顺，越是前景光明，越是要增强忧患意识，做到居安思危，全面认识和有力应对一些重大风险挑战。”必须把防风险摆在突出位置，着力破解各种矛盾和问题，力争不出现重大风险或在出现重大风险时扛得住、过得去。

“明者防祸于未萌，智者图患于将来。”预判风险所在是防范风险的前提，把握风险走向是谋求战略主动的关键。要加强战略预判和风险预警，见微知著、未雨绸缪，力争把风险化解在源头，防止各种风险传导、叠加、演变、升级。提高风险化解能力，透过复杂现象把握本质，抓住要害、找准原因，果断决策，善于引导群众、组织群众，善于整合各方力量、科学排兵布阵，有效予以处理。完善风险防控机制，建立健全风险研判机制、决策风险评估机制、风险防控协同机制、风险防控责任机制，主动加强协调配合，坚持一级抓一级、层层抓落实。

防范化解重大风险，是各级党委、政府和领导干部的政治职责。要敢于担当、敢于斗争，把防范化解重大风险工作做实做细做好，决不让小风险演化为大风险，不让个别风险演化为综合风险，不让局部风险演化为区域性或系统性风险，不让经济风险演化为社会政治风险，不让国际风险演化为国内风险。

十五、把人民军队全面建成世界一流军队

——关于新时代国防和军队建设

1. 建设一支听党指挥、能打胜仗、作风优良的人民军队

（148）强国必须强军，军强才能国安。站在新的历史起点上，面对国家安全环境的深刻变化，面对强国强军的时代要求，必须全面贯彻新时代党的强军思想，坚定不移走中国特色强军之路，把新时代强军事业不断推向前进。

建设强大的人民军队是我们党的不懈追求。在各个历史时期，我们党都根据形势任务的变化，及时提出明确的目标要求，引领我军建设不断向前发展。习近平总书记指出："党在新时代的强军目标是建设一支听党指挥、能打胜仗、作风优良的人民军队，把

人民军队建设成为世界一流军队”。这是总结我们党建军治军成功经验、适应国际战略形势和国家安全环境发展变化、着眼于解决军队建设所面临的突出矛盾和问题提出的。

巩固国防和强大军队是新时代坚持和发展中国特色社会主义、实现中华民族伟大复兴的战略支撑。我国正处在由大向强发展的关键阶段，前所未有走近世界舞台中央，前景十分光明，挑战也十分严峻。国防和军队建设是国家安全的坚强后盾，军事手段是实现伟大梦想的保底手段。把军队搞得更强大，这样底气才足、腰杆才硬。必须服从服务于党的历史使命，把握新时代国家安全战略需求，为巩固中国共产党领导和我国社会主义制度提供战略支撑，为捍卫国家主权、统一、领土完整提供战略支撑，为拓展我国海外利益提供战略支撑，为促进世界和平与发展提供战略支撑，担当起党和人民赋予的新时代使命任务。

（149）军队要像军队的样子。总结历史和现实需要，“军队的样子”就是强军目标明确的听党指挥、能打胜仗、作风优良。听党指挥是灵魂，决定军队建设的政治方向；能打胜仗是核心，反映军队的根本职能和军队建设的根本指向；作风优良是保证，关系军队的性质、宗旨、本色。这三条明确了加强军队建设的聚焦点和着力点，决定着军队发展方向，也决定着军队生死存亡。

强军目标要贯彻到部队建设各领域全过程，用以引领军队建设、改革和军事斗争准备。要紧紧围绕强军目标想问题、作决策、抓建设，着力提高战略谋划能力、真打实备能力、改革创新能力、科学管理能力、狠抓落实能力，推动强军目标在基层落地生根。广大官兵要牢记强军目标，坚定强军信念，献身强军实践，努力在强军兴军征程中书写出彩的军旅人生。

2. 坚持党对人民军队的绝对领导

（150）党对人民军队的绝对领导是党和国家的重要政治优势，是建军之本、强军之魂。我军是党缔造的，一诞生便与党紧紧地联系在一起，始终在党的绝对领导下行动和战斗。建军以来，我军之所以能始终保持强大的凝聚力、向心力、战斗力，经受住各种考验，不断从胜利走向胜利，最根本的就是靠党的坚强领导。正是因为枪杆子始终掌握在党的手里，才保证了我军在长期复杂斗争中没有迷失方向，才保证了国家的长治久安。推进强军事业，必须毫不动摇坚持党对军队的绝对领导，确保人民军队永远跟党走。

坚持党对军队绝对领导是有一整套制度作保证的。党对军队绝对领导的根本原则和制度，发端于南昌起义，奠基于三湾改编，定型于古田会议。经过长期发展，其制度日臻完善，形成了包括坚持军队最高领导权和指挥权属于党中央、中央军委，中央军委实行主席负责制，实行党委制、政治委员制、政治机关制，实行党委统一的集体领导下的首长分工负责制，实行支部建在连上等在内的一整套制度体系。

军委主席负责制是宪法和党章规定的，是坚持党对军队绝对领导的根本制度。“国家大柄，莫重于兵。”对这项制度的极端重要性，要从党、国家和军队兴旺发达、长治久安的高度来认识。军委主席负责制，解决的是我军最高领导权和指挥权问题。中央军委实行主席负责制，就是中央军委主席负责中央军委全面工作，领导指挥全国武装力量，决定国防和军队建设一切重大问题。

（151）坚持党对军队绝对领导，首先全军对党要绝对忠诚。这是马克思主义建党建军的一条基本原则，是我们党长期以来建军治军经验教训的深刻总结。对党忠诚必须是唯一的、彻底的、无条件的、不掺任何杂质的、没有任何水分的忠诚。衡量我军是不是政治上合格，可以讲很多条，但归根到底要看这一条。对党不忠是对党和军队的致命威胁，必须旗帜鲜明加以反对。要加强忠诚度鉴别和政治考察，搞好“政治体检”，防止“带病提拔”，确保枪杆子牢牢掌握在对党绝对忠诚的人手中。

着力提高坚持党对军队绝对领导的政治自觉和实际能力。要不要坚持党对军队的绝对领导，始终是我们同各种敌对势力斗争的一个焦点。我军是党的军队、人民的军队、社会主义国家的军队，这是高度一致的。当前，敌对势力加紧实施“政治转基因”工程，极力鼓吹“军队非党化、非政治化”和“军队国家化”，妄图对我军官兵拔根去魂。要深入开展军魂教育，以积极主动的工作占领部队思想阵地、舆论阵地、文化阵地，确保全军始终同党中央和中央军委保持高度一致，坚决维护党中央和中央军委权威，坚决听从党中央和中央军委指挥。

3. 全面提高新时代备战打仗能力

（152）军队首先是一个战斗队，打仗和准备打仗是军人的天职。我军是执行党的政治任务的武装集团，既要政治过硬，也要本领高强，这个本领就是指能打仗、打胜仗。我军许多年没有打过仗了，打现代化战争能力不够，各级干部指挥现代化战争能力不够，这两个问题依然很现实地摆在我们面前。全军要把备战打仗作为主责主业，牢固树立战斗力这个唯一的根本的标准，全部心思向打仗聚焦，各项工作向打仗用劲，确保部队召之即来、来之能战、战之必胜。

强国强军，战略先行。军事战略科学准确，就是最大的胜算。积极防御战略思想是我们党军事战略思想的基本点，要毫不动摇坚持，同时要丰富和完善其内涵。要与时俱进加强军事战略指导，进一步拓宽战略视野、更新战略思维、前移指导重心，把预防危机、遏制战争、打赢战争统一起来，把备战与止战、威慑与实战、战争行动与和平时期军事力量运用作为一个整体加以运筹。要构建新时代军事战略体系，把新时代军事战略思想立起来，把新时代军事战略方针立起来，把备战打仗指挥棒立起来，把抓备战打仗的责任担当立起来。要加强战争和作战指导，解决好未来打什么仗、同谁打仗问题，把握现代战争规律和战争指导规律，努力提高战争指导水平。

军队能不能打仗、能不能打胜仗，指挥是一个决定性因素。现代战争形态和作战方式发生了革命性变化，其中很突出的一个方面就是指挥对抗的作用空前上升，作战指挥战略性、联合性、时效性、专业性、精确性要求越来越高。要着力加强联合作战指挥体系和能力建设，坚持联合作战统一筹划、统一指挥大方向，加快打造坚强高效的联合作战指挥机构，构建平战一体、常态运行、专司主营、精干高效的战略战役指挥体系，提高基于网络信息体系的联合作战能力、全域作战能力。

军事斗争准备是军队的基本实践活动，是维护和平、遏制危机、打赢战争的重要保证。能战方能止战，准备打才可能不必打，越不能打越可能挨打，这就是战争与和平的辩证法。要坚持军事斗争准备龙头地位不动摇，以国家核心安全需求为导向，用打仗的标准推进军事斗争准备，全面提高我军威慑和实战能力。做好随时打硬仗的准备，立足最困难、最复杂情况，加强各方向各领域军事斗争准备，提高军事斗争准备的针对性实效性。把反恐军事斗争准备摆到战略位置抓紧抓好，坚决维护社会大局稳定。

打仗硬碰硬，训练必须实打实。军事训练实际上是未来战争的预演，是提高实战能力的重要途径和抓手。要坚定不移把军事训练摆在战略位置、作为中心工作，强化战训一致思想，从实战需要出发从难从严训练部队，坚持仗怎么打兵就怎么练，打仗需要什么就苦练什么，部队最缺什么就专攻精练什么。训风不正是对官兵生命、对未来战争极大的不负责任。要进一步端正训风、演风、考风，坚决摒弃训为看、演为看等弄虚作假的训练恶习。

思想的锈蚀比枪炮的锈蚀更可怕。一支军队衰败往往是从滋生“和平积弊”开始的。要以整风精神对“和平积弊”来一个大起底、大扫除。战争不仅是物质的较量，更是精神的比拼。习近平总书记指出：“我军历来以敢打敢拼闻名于世，过去我们钢少气多，现在钢多了，气要更多，骨头要更硬。”无论什么时候，一不怕苦、二不怕死的战斗精神千万不能丢，必须大力培养敢于斗争、敢于胜利的血性胆魄。

4. 全面推进国防和军队现代化

（153）国防和军队现代化进程必须同国家现代化进程相适应，军事能力必须同实现中华民族伟大复兴的战略需求相适应。党的十九大对国防和军队现代化作出了战略安排，强调要确保到二〇二〇年基本实现机械化，信息化建设取得重大进展，战略能力有大的提升，力争到二〇三五年基本实现国防和军队现代化，到本世纪中叶把人民军队全面建成世界一流军队。

国防和军队现代化建设是一个系统工程。必须坚持政治建军、改革强军、科技兴军、依法治军，更加注重聚焦实战、更加注重创新驱动、更加注重体系建设、更加注重集约高效、更加注重军民融合，努力构建联合作战指挥体系、新型军事管理体系、现代军事力量体系、新型军事训练体系、新型军事人才体系、国防科技创新体系、现代军事政策制度体系、军民融合发展体系。

政治建军是我军的立军之本。在长期实践中，实行革命的政治工作，保证了我军始终是党绝对领导下的革命军队，为我军战胜强大敌人和艰难险阻提供了不竭力量，使我军始终保持了人民军队的本色和作风。要发挥政治工作生命线作用，把理想信念、党性原则、战斗力标准、政治工作威信在全军牢固立起来，培养有灵魂、有本事、有血性、有品德的新时代革命军人，锻造具有铁一般信仰、铁一般信念、铁一般纪律、铁一般担当的过硬部队。保持政治整训劲头和力度，着力整顿思想、整顿用人、整顿组织、整顿纪律，把军队作风建设和反腐败斗争引向深入。全面加强新时代我军党的领导和党的建设工作，锻造坚强有力的党组织，锻造能够担当强军重任的高素质干部和人才队伍，把党的政治优势和组织优势转化为制胜优势。

深化国防和军队改革是为了设计和塑造军队未来。我们这支军队，靠改革创新走到现在，也要靠改革创新赢得未来。面对长期制约国防和军队建设的体制性障碍、结构性矛盾、政策性问题，不改革，不全面改革，不彻底改革，我军是打不了仗、打不了胜仗的。必须全面实施改革强军战略，完善和发展中国特色社会主义军事制度，加快构建能够打赢信息化战争、有效履行使命任务的中国特色现代军事力量体系。按照军委管总、战区主战、军种主建的总原则推进领导指挥体制改革，构建起中央军委—战区—部队的作战指挥体系、中央军委—军种—部队的领导管理体系，实现军队组织架构历史性变革。推进规模结构和力量编成改革，改变长期以来陆战型、国土防御型的力量结构和兵力布势，建设强大的现代化陆军、海军、空军、火箭军、战略支援部队、联勤保障部队和武装警察部队，构建起中国特色现代军事力量体系。对军事政策制度进行系统、深入改革，深化军队党的建设制度改革、创新军事力量运用政策制度、重塑军事力量建设政策制度、改革军事管理政策制度，建立健全中国特色社会主义军事政策制度体系。

科学技术是核心战斗力，是军事发展中最活跃、最具革命性的因素。科技从来没有像今天这样深刻影响国家安全和军事战略全局，从来没有像今天这样深刻影响我军建设发展。必须全面实施科技兴军战略，坚持向科技创新要战斗力，依靠科技进步和创新把我军建设模式和战斗力生成模式转到创新驱动发展的轨道上来，努力把我军建设成为创新型人民军队。必须坚持自主创新的战略基点，加快战略性、前沿性、颠覆性技术发展，加快军事智能化发展。强化战略管理，提高军事系统运行效率和我军建设质量效益。

法治是现代军队的鲜明特征，一支现代化军队必然是法治军队。要深入推进依法治军、从严治军，强化全军法治信仰和法治思维，加快构建完善中国特色军事法治体系，推动治军方式根本性转变，提高国防和军队建设法治化水平。坚持严字当头、一严到底，下大气力治松、治散、治虚、治软，向一切不严不实问题开刀，确保有令必行、有禁必止。

5. 构建一体化的国家战略体系和能力

（154）强国往往是经济和军事共同作用的结果。经济建设是国防建设的基本依托，国防建设是我国现代化建设的战略任务，国防实力要同经济实力相匹配，不然就不能为经济社会发展提供有力安全保障。必须在国家总体战略中兼顾发展和安全，科学统筹经济建设和国防建设，在更广范围、更高层次、更深程度上推进军民融合。这有利于促进经济发展方式转变和经济结构调整，有利于增强国家战争潜力和国防实力。

军民融合发展是兴国之举、强军之策，目标是构建一体化的国家战略体系和能力，逐步实现国家各领域战略布局一体融合、战略资源一体整合、战略力量一体运用。要把军民融合搞得更好一些、更快一些，在国家层面建立推动军民融合发展的统一领导、军地协调、需求对接、资源共享机制，完善军民融合组织管理体系、工作运行体系、政策制度体系，形成全要素、多领域、高效益的军民融合深度发展格局。军队要善于运用社会一切优质资源和先进成果，把国防和军队建设有机融入经济社会发展体系。地方要注重在经济建设中贯彻国防需求，自觉把经济布局调整同国防布局完善有机结合起来。

军民融合涉及领域宽、范围广、内容多，必须向重点领域聚焦用力，打造军民融合的龙头工程、精品工程。基础设施建设和国防科技工业、武器装备采购、人才培养、军队保障社会化等领域军民融合潜力巨大，要盘活用好存量资源，优化配置增量资源。着眼谋取战略竞争新优势，推动融合由传统领域向新兴领域拓展，提高海洋、太空、网信、生物、新能源等领域核心竞争力，形成多维一体、协同推进、跨越发展的新兴领域融合发展布局。

我们的军队是人民军队，我们的国防是全民国防。要加强国防教育，增强全民国防观念，使关心国防、热爱国防、建设国防、保卫国防成为全社会的思想共识和自觉行动。完善国防动员体系，努力建设强大稳固的现代边海空防，增强打赢未来战争的国防潜力。军政军民团结是实现富国和强军相统一的重要政治保障。要大力弘扬军爱民、民拥军的光荣传统，不断发展坚如磐石的军政军民关系，为实现中国梦强军梦凝聚强大力量。

十六、实现祖国完全统一是中华民族根本利益所在

——关于新时代坚持“一国两制”和推进祖国统一

1.“一国两制”是中国特色社会主义的一个伟大创举

（155）“一国两制”是国家的一项基本国策。“一国两制”就是在统一的国家之内，国家主体实行社会主义制度，个别地区依法实行资本主义制度。这是一项前无古人的开创性事业，在过往的人类政治实践中还从未有过。按照“一国两制”伟大构想，香港、澳门实现了和平回归，改变了历史上但凡收复失地都要大动干戈的所谓定势。“一国两制”是中国为国际社会解决类似问题提供的一个新思路新方案，是中华民族为世界和平与发展作出的新贡献，凝结了海纳百川、

有容乃大的中国智慧。

香港、澳门回归祖国后，重新纳入国家治理体系，走上同祖国共同发展、永不分离的宽广道路。在“一国两制”之下，香港、澳门特别行政区享有的高度自治权受到充分保障，港澳同胞当家作主、依法享有广泛自由和民主权利。香港、澳门经济平稳增长，对外交往日益活跃，各项事业取得全面进步，同祖国内地的联系越来越紧密。各界人士积极投身国家改革开放和现代化建设，作出独特而重要的贡献。港澳同胞对国家发展和民族复兴的信心不断增强，对国家的认同感和向心力不断加强。

“一国两制”实践取得了举世公认的成功。事实证明，“一国两制”是解决历史遗留的香港、澳门问题的最佳方案，也是香港、澳门回归后保持长期繁荣稳定的最佳制度，是完全行得通、办得到、得人心的，是有强大生命力的。

（156）“和平统一、一国两制”是解决台湾问题的基本方针，也是实现国家统一的最佳方式。以和平的方式实现统一，最符合包括台湾同胞在内的中华民族的整体利益，我们将以最大诚意、尽最大努力争取和平统一的前景。“一国两制”的提出，本来就是为了照顾台湾现实情况，维护台湾同胞利益福祉。“一国两制”在台湾的具体实现形式会充分考虑台湾现实情况，会充分吸收两岸各界意见和建议，会充分照顾到台湾同胞利益和感情。在确保国家主权、安全、发展利益的前提下，和平统一后，台湾同胞的社会制度和生活方式等将得到充分尊重，台湾同胞的私人财产、宗教信仰、合法权益将得到充分保障。

解决台湾问题、实现祖国完全统一，是全体中华儿女共同愿望，是中华民族根本利益所在。一九四九年以来，中国共产党、中国政府、中国人民始终把解决台湾问题、实现祖国完全统一作为矢志不渝的历史任务。我们团结台湾同胞，推动打破两岸隔绝状态，实现全面直接双向“三通”，推动两岸双方在一个中国原则基础上达成“海峡两岸同属一个中国，共同努力谋求国家统一”的“九二共识”。开启两岸协商谈判，推进两岸政党党际交流，开辟两岸关系和平发展道路，实现两岸领导人历史性会晤，巩固国际社会坚持一个中国原则的格局，取得一系列反“台独”、反分裂斗争的重大胜利。台海形势从紧张对峙走向缓和改善，两岸关系不断取得突破性进展。

两岸关系发展历程证明：台湾是中国一部分、两岸同属一个中国的历史和法理事实，是任何人任何势力都无法改变的！两岸同胞都是中国人，血浓于水、守望相助的天然情感和民族认同，是任何人任何势力都无法改变的！台海形势走向和平稳定、两岸关系向前发展的时代潮流，是任何人任何势力都无法阻挡的！国家强大、民族复兴、两岸统一的历史大势，更是任何人任何势力都无法阻挡的！

2. 推进“一国两制”在香港、澳门的实践行稳致远

（157）中国特色社会主义进入了新时代，意味着“一国两制”事业也进入了新时代。中央贯彻“一国两制”方针坚持两点，一是坚定不移，不会变、不动摇；二是全面准确，确保“一国两制”在香港、澳门的实践不走样、不变形，始终沿着正确方向前进。

坚持“一国两制”方针，深入推进“一国两制”实践，符合港澳居民利益，符合香港、澳门繁荣稳定实际需要，符合国家根本利益，符合全国人民共同意愿。无论遇到什么样的困难和挑战，对“一国两制”方针的信心和决心都绝不会动摇，推进“一国两制”实践的信心和决心都绝不会动摇。

（158）“一国两制”是一个完整的概念。“一国”是实行“两制”的前提和基础，“两制”从属和派生于“一国”，并统一于“一国”之内。“一国”是根，根深才能叶茂；“一国”是本，本固才能枝荣。国家主体坚持社会主义制度，是香港、澳门实行资本主义

制度，保持繁荣稳定的前提和保障；香港、澳门依照基本法实行“港人治港”、“澳人治澳”、高度自治，必须充分尊重国家主体实行的社会主义制度。必须把坚持“一国”原则和尊重“两制”差异有机结合起来，做到坚守“一国”之本，实现“两制”和谐相处、相互促进，既要把实行社会主义制度的内地建设好，也要把实行资本主义制度的香港、澳门建设好。

我国是单一制国家，中央对包括香港、澳门特别行政区在内的所有地方行政区域拥有全面管治权。香港、澳门两个特别行政区的高度自治权不是固有的，而是来源于中央授权。高度自治权不是完全自治，中央对高度自治权具有监督的权力，绝不允许以“高度自治”为名对抗中央的权力。

近年来，香港社会有些人鼓吹香港有所谓“固有权力”、“自主权力”等，否认或抗拒中央对香港的管治权。邓小平同志早在二十世纪八十年代就指出：“切不要以为香港的事情全由香港人来管，中央一点都不管，就万事大吉了。这是不行的，这种想法不实际。”习近平总书记强调：“任何危害国家主权安全、挑战中央权力和香港特别行政区基本法权威、利用香港对内地进行渗透破坏的活动，都是对底线的触碰，都是绝不能允许的。”必须把维护中央对香港、澳门特别行政区全面管治权和保障特别行政区高度自治权有机结合起来，任何时候都不能偏废。只有这样，才能把路走对了走稳了，否则就会左脚穿着右脚鞋——错打错处来。

（159）全面准确贯彻“一国两制”、“港人治港”、“澳人治澳”、高度自治的方针。坚定不移把“一国两制”实践向纵深推进，必须牢牢把握“一国两制”的根本宗旨，共同维护国家主权、安全、发展利益，保持香港、澳门长期繁荣稳定。

要严格依照宪法和基本法办事。在落实宪法和基本法确定的宪制秩序时，把中央依法行使权力和特别行政区履行主体责任有机结合起来，完善与基本法实施相关的制度和机制，坚决维护宪法和基本法的权威。支持行政长官和特别行政区政府依法施政、积极作为，团结带领香港、澳门各界人士齐心协力谋发展、促和谐，保障和改善民生，有序推进民主，维护社会稳定，履行维护国家主权、安全、发展利益的宪制责任。把发挥祖国内地坚强后盾作用和提高香港、澳门自身竞争力有机结合起来，支持香港、澳门抓住共建“一带一路”、粤港澳大湾区建设等国家战略实施新的重大机遇，更加积极主动助力国家全面开放，更加积极主动融入国家发展大局，更加积极主动参与国家治理实践，更加积极主动促进国际人文交流，实现新发展，作出新贡献。

不断推进“一国两制”在香港、澳门的成功实践，是中国梦的重要组成部分。要坚持爱国者为主体的“港人治港”、“澳人治澳”，发展壮大爱国爱港爱澳力量，增强香港、澳门同胞的国家意识和爱国精神。加强对港澳青少年的爱国主义教育，为青年发展多搭台、多搭梯，创造有利于成就人生梦想的社会环境。让香港、澳门同胞同祖国人民共担民族复兴的历史责任，共享祖国繁荣富强的伟大荣光。

3. 推进祖国和平统一进程

（160）民族复兴、国家统一是大势所趋、大义所在、民心所向。祖国必须统一，也必然统一。这是两岸关系发展历程的历史定论，也是新时代中华民族伟大复兴的必然要求。两岸中国人、海内外中华儿女应共担民族大义、顺应历史大势，共同推动两岸关系和平发展、推进祖国和平统一进程。

一个中国原则是两岸关系的政治基础。推动两岸关系和平发展，最根本的是坚持一个中国原则。虽然两岸迄今尚未统一，但中国的主权和领土完整从未分裂。两岸同属一个国家、两岸同胞同属一个民族，这一历史事实和法理基础从未改变，也不可能改变。

体现一个中国原则的“九二共识”明确界定了两

岸关系的根本性质，是确保两岸关系和平发展的关键。它表明大陆与台湾同属一个中国，两岸关系不是国与国关系，也不是“一中一台”。承认“九二共识”的历史事实，认同两岸同属一个中国，两岸双方就能开展对话，协商解决两岸同胞关心的问题，台湾任何政党和团体同大陆交往也不会存在障碍。两岸关系和平发展要两岸同胞共同推动，靠两岸同胞共同维护，由两岸同胞共同分享。

（161）和平统一，是平等协商、共议统一。两岸长期存在的政治分歧问题是影响两岸关系行稳致远的总根子，总不能一代一代传下去。两岸同胞是一家人，两岸的事是两岸同胞的家里事，当然也应该由家里人商量着办。

要探索“两制”台湾方案，丰富和平统一实践。我们愿意同台湾各党派、团体和人士就两岸政治问题和推进祖国和平统一进程的有关问题开展对话沟通，广泛交换意见，寻求社会共识，推进政治谈判。我们郑重倡议，在坚持“九二共识”、反对“台独”的共同政治基础上，两岸各政党、各界别推举代表性人士，就两岸关系和民族未来开展广泛深入的民主协商，就推动两岸关系和平发展达成制度性安排。

统一是历史大势，是正道。“台独”是历史逆流，是绝路。当前，对两岸关系和平发展的最大现实威胁是“台独”势力及其分裂活动。“台独”煽动两岸同胞敌意和对立，损害国家主权和领土完整，破坏台海和平稳定，阻挠两岸关系发展，只会给两岸同胞带来深重祸害。我们坚决维护国家主权和领土完整，绝不容忍国家分裂的历史悲剧重演，绝不为各种形式的“台独”分裂活动留下任何空间。

中国人不打中国人。我们愿意以最大诚意、尽最大努力争取和平统一的前景。不承诺放弃使用武力，保留采取一切必要措施的选项，针对的是外部势力干涉和极少数“台独”分裂分子及其分裂活动，绝非针对台湾同胞。我们有坚定的意志、充分的信心、足够的能力挫败任何形式的“台独”分裂图谋。绝不允许任何人、任何组织、任何政党、在任何时候、以任何形式、把任何一块中国领土从中国分裂出去！

（162）两岸同胞是命运与共的骨肉兄弟，是血浓于水的一家人。亲望亲好，中国人要帮中国人。要秉持“两岸一家亲”理念，尊重台湾现有的社会制度和台湾同胞生活方式，继续率先同台湾同胞分享大陆发展机遇。

深化两岸融合发展，夯实和平统一基础。要积极推进两岸经济合作制度化，打造两岸共同市场，壮大中华民族经济。两岸要应通尽通，提升经贸合作畅通、基础设施联通、能源资源互通、行业标准共通。推动两岸文化教育、医疗卫生合作，社会保障和公共资源共享，支持两岸邻近或条件相当地区基本公共服务均等化、普惠化、便捷化。两岸同胞要共同传承中华优秀传统文化，以正确的历史观、民族观、国家观化育后人，弘扬伟大民族精神。

台湾前途在于国家统一，台湾同胞福祉系于民族复兴。支持和追求国家统一是民族大义，应该得到全民族肯定。大道之行、人心所向，势不可挡。所有台湾同胞应像珍视自己的眼睛一样珍视和平，像追求人生的幸福一样追求统一，积极参与到推进祖国和平统一的正义事业中来，在新时代携手同心书写中华民族伟大复兴新篇章。

十七、推动构建人类命运共同体

——关于新时代中国特色大国外交

1. 人类生活在同一个地球村里

（163）人类只有一个地球，各国共处一个世界。地球是人类的共同家园，也是人类到目前为止唯一的家园。习近平总书记指出：“人类生活在同一个地球村里，生活在历史和现实交汇的同一个时空里，越来越成为你中有我、我中有你的命运共同体。”

马克思、恩格斯说：“各民族的原始封闭状态由于日益完善的生产方式、交往以及因交往而自然形成的不同民族之间的分工消灭得越是彻底，历史也就越是成为世界历史。”历史和现实日益证明这个预言的科学价值。今天，经济全球化大潮滚滚向前，新科技革命和产业变革深入发展，全球治理体系深刻重塑，国际格局加速演变，和平发展大势不可逆转。人类交往的世界性比过去任何时候都更深入、更广泛，各国相互联系和彼此依存比过去任何时候都更频繁、更紧密，和平、发展、合作、共赢已成为时代潮流。一体化的世界就在那儿，谁拒绝这个世界，这个世界也会拒绝他。

同时，全球发展深层次矛盾突出，霸权主义、强权政治依然存在，保护主义、单边主义不断抬头，战乱恐袭、饥荒疫情此伏彼现，传统安全和非传统安全问题复杂交织。治理赤字、信任赤字、和平赤字、发展赤字，成为摆在全人类面前的严峻挑战。

当今世界的变局百年未有，变革会催生新的机遇，但变革过程往往充满着风险挑战，人类又一次站在了十字路口。合作还是对抗？开放还是封闭？互利共赢还是零和博弈？如何回答这些问题，关乎各国利益，关乎人类前途命运。

（164）习近平总书记指出：“没有哪个国家能够独自应对人类面临的各种挑战，也没有哪个国家能够退回到自我封闭的孤岛。”世界各国要顺应时代发展潮流，作出正确选择，齐心协力应对挑战，开展全球性协作，构建人类命运共同体。

人类命运共同体，顾名思义，就是每个民族、每个国家的前途命运都紧紧联系在一起，应该风雨同舟，荣辱与共，努力把我们生于斯、长于斯的这个星球建成一个和睦的大家庭，把世界各国人民对美好生活的向往变成现实。构建人类命运共同体这一倡议已被多次写入联合国文件，正在从理念转化为行动，产生日益广泛而深远的国际影响，成为中国引领时代潮流和人类文明进步方向的鲜明旗帜。

2. 始终不渝走和平发展道路

（165）走和平发展道路，是我们党根据时代发展潮流和我国根本利益作出的战略抉择。只有坚持走和平发展道路，只有同世界各国一道维护世界和平，中国才能实现自己的目标，才能为世界作出更大贡献。

这些年来，随着中国快速发展，国际上有些人担心中国会走“国强必霸”的路子，提出了所谓的“中国威胁论”，这既有认知上的误读，也有根深蒂固的偏见。坚定不移走和平发展道路，是中国对国际社会关注中国发展走向的回应，更是中国人民对实现自身发展目标的自信和自觉。这种自信和自觉，来源于中华文明的深厚底蕴，来源于对实现中国发展目标条件的认知，来源于对世界发展大势的把握。

中华民族历来是爱好和平的民族。在五千多年的文明发展中，中华民族一直追求和传承着和平、和睦、和谐的坚定理念，中华民族的血液中没有侵略他人、称霸世界的基因。中国人民对战争带来的苦难有着刻骨铭心的记忆，对和平有着孜孜不倦的追求，十分珍惜和平安定的生活。走和平发展道路，是中华民族优秀文化传统的传承和发展，也是中国人民从近代以后苦难遭遇中得出的必然结论。

实现“两个一百年”奋斗目标、实现中华民族伟大复兴的中国梦，必须有和平的国际环境。没有和平，中国和世界都不可能顺利发展；没有发展，中国和世界也不可能有持久和平。要集中精力把自己的事情办好，使国家更加富强，使人民更加富裕，依靠不断发展起来的力量更好走和平发展道路。

一个国家要发展繁荣，必须把握和顺应世界发展大势，反之必然会被历史抛弃。习近平总书记指出：“什么是当今世界的潮流？答案只有一个，那就是和平、发展、合作、共赢。中国不认同‘国强必霸’的陈旧逻辑。”当今世界，殖民主义、霸权主义的老路是走不通的，只有和平发展道路可以走得通。不能身体已进入二十一世纪，而脑袋还停留在过去，停留在殖民扩张的旧时代里，停留在冷战思维、零和博弈的老框框内。

（166）中国走和平发展道路来之不易，是新中国成立以来特别是改革开放以来，我们党经过艰辛探索和不断实践逐步形成的。在长期实践中，我们党始终高举和平的旗帜，提出和坚持了和平共处五项原则，确立和奉行了独立自主的和平外交政策，向世界作出了永远不称霸、永远不搞扩张的庄严承诺，强调中国始终是维护世界和平的坚定力量。我们在政策上是这样规定的、制度上是这样设计的，在实践中更是一直这样做的。和平发展道路对中国有利、对世界有利，我们想不出有任何理由不坚持这条被实践证明是走得通的道路。

中国将坚定不移走和平发展道路，并且希望世界各国共同走和平发展道路。只有各国都走和平发展道路，各国才能共同发展，国与国才能和平相处。中国决不会以牺牲别国利益为代价来发展自己，也决不放弃自己的正当权益。任何国家不要指望中国会拿自己的核心利益做交易，任何人不要幻想让中国吞下损害自身利益的苦果。

3. 促进“一带一路”国际合作

（167）二〇一三年秋，习近平总书记提出了共建丝绸之路经济带和二十一世纪海上丝绸之路重大倡议。共建“一带一路”倡议正在成为我国参与全球开放合作、改善全球经济治理体系、促进全球共同发展繁荣、推动构建人类命运共同体的中国方案。习近平总书记形象地指出，“一带一路”就像一对腾飞的翅膀，正飞向和平、发展、合作、共赢的远方。

“一带一路”倡议根植历史，更面向未来。古丝绸之路绵亘万里，延续千年，积淀了以和平合作、开放包容、互学互鉴、互利共赢为核心的丝绸之路精神。在新的历史条件下，我们提出“一带一路”倡议，就是要继承和发扬丝绸之路精神，把我国发展同沿线国家和世界其他国家发展结合起来，把中国梦同沿线国家和世界其他国家人民的梦想结合起来，赋予古代丝绸之路以全新的时代内涵。共建“一带一路”倡议源于中国，更属于世界。以共建“一带一路”为实践平台推动构建人类命运共同体，这是从我国改革开放和长远发展出发提出来的，符合中华民族历来秉持的天下大同理念，符合中国人怀柔远人、和谐万邦的天下观，顺应时代要求和各国加快发展的愿望，占据了国际道义制高点。

“一带一路”倡议秉持和遵循共商共建共享原则，努力实现政策沟通、设施联通、贸易畅通、资金融通、民心相通，是发展的倡议、合作的倡议、开放的倡议。这一倡议的核心内涵，是促进基础设施建设和互联互通，加强经济政策协调和发展战略对接，促进协同联动发展，实现共同繁荣。这一倡议要实现的最高目标就是在“一带一路”建设国际合作框架内，各方携手应对世界经济面临的挑战，开创发展新机遇，谋求发展新动力，拓展发展新空间，实现优势互补、互利共赢，不断朝着人类命运共同体方向迈进。

（168）几年来，“一带一路”建设完成了总体布局，绘就了一幅“大写意”，取得了令人瞩目的成就。今后要聚焦重点、深耕细作，共同绘制精谨细腻的“工笔画”。坚持开放、绿色、廉洁理念，追求高标准、惠民生、可持续目标，推动共建“一带一路”沿着高质量发展方向不断前进。

“一带一路”建设跨越不同地域、不同发展阶段、不同文明，是各方共同打造的全球公共产品。要尊重彼此主权、尊严、领土完整，尊重彼此发展道路和社会制度，尊重彼此核心利益和重大关切，把“一带一路”建成和平之路；聚焦发展这个根本性问题，释放各国发展潜力，实现经济大融合、发展大联动、成果大共享，把“一带一路”建成繁荣之路；打造开放型合作平台，维护多边贸易体制，解决经济增长和平衡问题，把“一带一路”建成开放之路；坚持创新驱动发展，优化创新环境，集聚创新资源，把“一带一路”建成创新之路；以文明交流超越文明隔阂、文明互鉴超越文明冲突、文明共存超越文明优越，把“一带一路”建成文明之路。

共建“一带一路”是经济合作倡议，不是搞地缘政治联盟或军事同盟，不针对谁也不排除谁；是开放包容进程，不是要关起门来搞小圈子或者“中国俱乐部”；是中国同世界共享机遇、共谋发展的阳光大道，不是这样那样的所谓“陷阱”，不以意识形态划界，不搞零和游戏。只要各国有意愿，我们都欢迎。

4. 推动建设相互尊重、公平正义、合作共赢的新型国际关系

（169）推动建设新型国际关系，是构建人类命运共同体的基本路径，就是要秉持相互尊重、公平正义、合作共赢原则，走出一条对话而不对抗、结伴而不结盟的国与国交往新路。

各国和各国人民应该共同推动建设新型国际关系，共同享受尊严、共同享受发展成果、共同享受安全保障。要坚持国家不分大小、强弱、贫富一律平等，尊重各国人民自主选择发展道路的权利，反对干涉别国内政，维护国际公平正义。世界长期发展不可能建立在一批国家越来越富裕而另一批国家却长期贫穷落后的基础之上。每个国家在谋求自身发展的同时，要积极促进其他各国共同发展。各国要同心协力，妥善应对各种问题和挑战，共同变压力为动力、化危机为生机，谋求合作安全、集体安全、共同安全，以合作取代对抗，以共赢取代独占。

（170）中国将高举和平、发展、合作、共赢的旗帜，恪守维护世界和平、促进共同发展的外交政策宗旨，坚定不移在和平共处五项原则基础上发展同各国的友好合作。必须积极发展全球伙伴关系，扩大同各国的利益汇合点，不断完善我国全方位、多层次、立体化的外交布局，打造覆盖全球的“朋友圈”。

运筹好大国关系，推动构建总体稳定、均衡发展的大国关系框架至关重要。大国之间相处，要不冲突、不对抗、相互尊重、合作共赢。中美关系是当今世界最重要的双边关系之一。要把握好中美关系发展的大方向，在互惠互利基础上拓展合作，在相互尊重基础上管控分歧，共同发展以协商、合作、稳定为基调的中美关系。中俄全面战略协作伙伴关系成熟、稳定、牢固，是互信程度最高、协作水平最高、战略价值最高的一对大国关系。要始终坚定支持对方维护核心利益，深入开展各领域合作，共同积极参与全球治理。欧洲是多极化世界的重要一极。要牢牢把握中欧全面战略伙伴关系正确方向，继续推进和平、增长、改革、文明四大伙伴关系建设。要同金砖国家深化战略伙伴关系，巩固经贸财金、政治安全、人文交流“三轮驱动”合作架构。

中国视周边为安身立命之所、发展繁荣之基，始终将周边置于外交全局的首要位置，视促进周边和平、稳定、发展为己任。要按照亲诚惠容理念和与邻为善、以邻为伴周边外交方针深化同周边国家关系，欢迎周边国家搭乘中国发展快车，让中国发展成果更多惠及周边。广大发展中国家是我国在国际事务中的天然同盟军，要秉持正确义利观和真实亲诚理念加强同发展中国家团结合作。中国积极倡导和践行多边主义，维护多边主义和以规则为基础的国际秩序，反对保护主义、单边主义，推动国际社会合作应对重大挑战。

5. 积极参与引领全球治理体系改革和建设

（171）全球治理格局取决于国际力量对比，全球治理体系变革源于国际力量对比变化。当今世界，随着国际力量对比消长变化和全球性挑战日益增多，加强全球治理、推动全球治理体系变革是大势所趋。习近平总书记指出："要高举构建人类命运共同体旗帜，推动全球治理体系朝着更加公正合理的方向发展。"

推动全球治理体系朝着更加公正合理的方向发展，符合世界各国的普遍需求。新兴市场国家和一大批发展中国家快速发展，国际影响力不断增强，是近代以来国际力量对比中最具革命性的变化。经济全球化深入发展，把世界各国利益和命运更加紧密地联系在一起，很多问题不再局限于一国内部，很多挑战也不再是一国之力所能应对。世界上的事情越来越需要各国共同商量着办，全球性挑战越来越需要各国通力合作来应对。建立国际机制、遵守国际规则、追求国际正义成为多数国家的共识。

（172）推动全球治理体系变革是国际社会大家的事，要坚持共商共建共享原则，使关于全球治理体系变革的主张转化为各方共识，形成一致行动。什么样的国际秩序和全球治理体系对世界好、对世界各国人民好，要由各国人民商量，不能由一家说了算，不能由少数人说了算。

推进全球治理体系变革并不是推倒重来，也不是另起炉灶，而是与时俱进、创新完善。全球治理体系变革要更好地反映国际格局的变化，更加平衡地反映大多数国家特别是新兴市场国家和发展中国家的意愿和利益。坚定维护以联合国宪章宗旨和原则为核心的国际秩序和国际体系，维护和巩固第二次世界大战胜利成果，积极维护开放型世界经济体制，推动建设和完善区域合作机制，加强国际社会应对全球性挑战的能力。

中国将继续发挥负责任大国作用，积极参与引领全球治理体系改革和建设。始终秉持共商共建共享的全球治理观，倡导国际关系民主化，支持联合国发挥积极作用，支持扩大发展中国家在国际事务中的代表性和发言权。推动全球治理理念创新发展，发掘中华文化中积极的处世之道、治理理念同当今时代的共鸣点，努力为完善全球治理贡献中国智慧、中国力量。

6. 建设持久和平、普遍安全、共同繁荣、开放包容、清洁美丽的世界

（173）习近平总书记强调，我们要与世界各国人民同心协力，构建人类命运共同体，建设持久和平、普遍安全、共同繁荣、开放包容、清洁美丽的世界。这反映了人类社会共同价值追求，符合中国人民和世界人民的根本利益。国际社会要从伙伴关系、安全格局、经济发展、文明交流、生态建设等方面作出努力。

坚持对话协商，建设一个持久和平的世界。维护和平是每个国家都应该肩负起来的责任。各国要相互尊重、平等协商，坚决摒弃冷战思维和强权政治。大国要在相互尊重基础上管控矛盾分歧，平等对待小国，不搞唯我独尊、强买强卖的霸道。任何国家都不能随意发动战争，不能破坏国际法治，不能打开潘多拉的盒子，要共同维护比金子还珍贵的和平时光。

坚持共建共享，建设一个普遍安全的世界。世上没有绝对安全的世外桃源，一国安全不能建立在别国

不安全之上，别国面临的威胁也可能成为本国的挑战。邻居出了问题，不能光想着扎好自家篱笆，而应该去帮一把。要坚持以对话解决争端、以协商化解分歧，统筹应对传统和非传统安全威胁，反对一切形式的恐怖主义。

坚持合作共赢，建设一个共同繁荣的世界。经济全球化是历史大势，促成了贸易大繁荣、投资大便利、人员大流动、技术大发展。各国应该坚持你好我好大家好的理念，推进开放、包容、普惠、平衡、共赢的经济全球化，创造全人类共同发展的良好条件，共同推动世界各国发展繁荣，让发展成果惠及世界各国，让人人享有富足安康。

坚持交流互鉴，建设一个开放包容的世界。人类文明多样性是世界的基本特征，交流互鉴是文明发展的本质要求。人类只有肤色语言之别，文明只有姹紫嫣红之别，但绝无高低优劣之分。文明之间要对话，不要排斥；要交流，不要取代。人类历史就是一幅不同文明交流、互鉴、融合的宏伟画卷。美人之美，美美与共。不同文明要取长补短、共同进步，让文明交流互鉴成为推动人类社会进步的动力、维护世界和平的纽带。

坚持绿色低碳，建设一个清洁美丽的世界。生态文明建设关乎人类未来，建设美丽家园是人类的共同梦想。要牢固树立尊重自然、顺应自然、保护自然的意识，解决好工业文明带来的矛盾，以人与自然和谐相处为目标，实现世界的可持续发展和人的全面发展。倡导绿色、低碳、循环、可持续的生产生活方式，采取行动应对气候变化，构筑尊崇自然、绿色发展的生态体系，保护好人类赖以生存的地球家园。

世界好，中国才能好；中国好，世界才更好。面向未来，中国将一如既往为世界和平安宁作贡献，一如既往为世界共同发展作贡献，一如既往为世界文明交流互鉴作贡献，同世界各国人民一道，推动构建人类命运共同体，携手建设更加美好的世界！

十八、把党建设得更加坚强有力

——关于新时代坚持和发展中国特色社会主义的政治保证

1. 勇于自我革命、从严管党治党是我们党最鲜明的品格

（174）打铁必须自身硬。办好中国的事情，关键在党，关键在坚持党要管党、全面从严治党。全面从严治党是一场伟大的自我革命。在进行社会革命的同时不断进行自我革命，是我们党区别于其他政党最显著的标志。习近平总书记指出：“要把新时代坚持和发展中国特色社会主义这场伟大社会革命进行好，我们党必须勇于进行自我革命，把党建设得更加坚强有力。”

我们党是马克思主义执政党，同时是马克思主义革命党。在领导中国革命、建设、改革九十多年的奋斗历程中，我们党为什么能够在各种政治力量反复较

量中脱颖而出？为什么能够始终走在时代前列、成为中国人民和中华民族的主心骨？根本原因在于我们党始终保持了自我革命精神，保持了承认并改正错误的勇气，一次次拿起手术刀来革除自身病症，一次次靠自己解决了自身问题。

历史深刻昭示我们，必须不断进行自我革命，同一切影响党的先进性、弱化党的纯洁性的问题作坚决斗争，实现自我净化、自我完善、自我革新、自我提高。这“四个自我”形成了依靠党自身力量发现问题、纠正偏差、推动创新、实现执政能力整体性提升的良性循环。

（175）治国必先治党，治党务必从严。全面从严治党，核心是加强党的领导，基础在全面，关键在严，要害在治。“全面”就是管全党、治全党，面向全体党员、党组织，覆盖党的建设各个领域、各个方面、各个部门，重点是抓住“关键少数”。“严”就是真管真严、敢管敢严、长管长严。“治”就是从党中央到地方各级党委，从中央部委、国家机关部门党组（党委）到基层党支部，都要肩负起主体责任，党委书记要把抓好党建当作分内之事、必须担当的职责；各级纪委要担负起监督责任，敢于瞪眼黑脸，勇于执纪问责。

党的十八大以来，以习近平同志为核心的党中央以刀刃向内的勇气向党内顽瘴痼疾开刀，以雷霆万钧之势推进全面从严治党，以钉钉子精神把管党治党要求落实落细，清除了党内存在的严重隐患，化解了党面临的严重政治风险，正本清源、拨正船头，保证全党沿着正确航向前进，对党、对国家、对民族都产生了不可估量的深远影响。同时，也要看到，全面从严治党还远未到大功告成的时候。党面临的长期执政考验、改革开放考验、市场经济考验、外部环境考验是长期的、复杂的，党面临的精神懈怠危险、能力不足危险、脱离群众危险、消极腐败危险是尖锐的、严峻的，党内存在的思想不纯、政治不纯、组织不纯、作风不纯等突出问题尚未得到根本解决。

全面从严治党永远在路上，不能有任何喘口气、歇歇脚的念头。必须始终保持思想上的冷静清醒、增强行动上的勇毅执着，坚定全面从严的政治自觉，不断推动全面从严治党向纵深发展。

（176）中国特色社会主义进入新时代，我们党一定要有新气象新作为，关键是党的建设新的伟大工程要开创新局面。

新时代党的建设总要求是：坚持和加强党的全面领导，坚持党要管党、全面从严治党，以加强党的长期执政能力建设、先进性和纯洁性建设为主线，以党的政治建设为统领，以坚定理想信念宗旨为根基，以调动全党积极性、主动性、创造性为着力点，全面推进党的政治建设、思想建设、组织建设、作风建设、纪律建设，把制度建设贯穿其中，深入推进反腐败斗争，不断提高党的建设质量，把党建设成为始终走在时代前列、人民衷心拥护、勇于自我革命、经得起各种风浪考验、朝气蓬勃的马克思主义执政党。

2. 政治建设是党的根本性建设

（177）旗帜鲜明讲政治是我们党作为马克思主义政党的根本要求。马克思主义政党具有崇高政治理想、高尚政治追求、纯洁政治品质、严明政治纪律。如果马克思主义政党政治上的先进性丧失了，党的先进性和纯洁性就无从谈起。我们党把政治建设纳入党的建设总体布局并摆在首位，明确了政治建设在新时代党的建设中的战略定位，抓住了全面从严治党的根本性问题。

党的政治建设决定党的建设方向和效果，不抓党的政治建设或背离党的政治建设指引的方向，党的其他建设就难以取得预期成效。大量事实表明，党内存在的各种问题，从根本上讲，都与政治建设软弱乏力、政治生活不严肃不健康有关。必须加强党的政治建设，增强“四个意识”，坚定“四个自信”，做到“两个维护”，进一步坚定政治信仰，强化政治领导，提高政治能力，净化政治生态，实现全党团结统一、行动一致。

（178）政治方向是党生存发展第一位的问题。我们要坚守的政治方向，就是共产主义远大理想和中国特色社会主义共同理想、“两个一百年”奋斗目标，就是党的基本理论、基本路线、基本方略。加强党的政治建设，就是要发挥政治指南针作用，引导全党把智慧和力量凝聚到新时代坚持和发展中国特色社会主义伟大事业中来，推动全党把坚持正确政治方向贯彻到谋划重大战略、制定重大政策、部署重大任务、推进重大工作的实践中去，确保党和国家各项事业始终沿着正确政治方向前进。

政治立场事关党的政治建设根本。全党必须始终坚定马克思主义立场，坚决站稳党性立场和人民立场。要把对党负责和对人民负责高度统一起来，坚持以党的旗帜为旗帜、以党的方向为方向、以党的意志为意志，始终做到在党言党、在党忧党、在党为党，任何时候都与党同心同德；坚持以人民为中心，践行全心全意为人民服务的根本宗旨，树立真挚的人民情怀，崇尚实干、勤政为民。

营造良好政治生态是一项长期任务，必须作为党的政治建设的基础性、经常性工作。要严格执行新形势下党内政治生活若干准则，增强党内政治生活的政治性、时代性、原则性、战斗性，自觉抵制商品交换原则对党内生活的侵蚀，坚决防止和克服党内政治生活忽视政治、淡化政治、不讲政治的倾向。加强党内政治文化建设，弘扬忠诚老实、公道正派、实事求是、清正廉洁等价值观，以良好政治文化涵养风清气正的政治生态。

在领导干部的所有能力中，政治能力是第一位的。提高政治能力，很重要的一条就是要善于从政治上分析问题、解决问题。只有从政治上分析问题才能看清本质，只有从政治上解决问题才能抓住根本。要不断提高党员领导干部把握方向、把握大势、把握全局的能力，辨别政治是非、保持政治定力、驾驭政治局面、防范政治风险的能力。加强政治能力训练和政治实践历练，把对党忠诚、为党分忧、为党尽职、为民造福作为根本政治担当，永葆共产党人政治本色。

3. 补足共产党人精神上的“钙”

（179）思想建设是党的基础性建设，坚定理想信念是思想建设的首要任务。中国共产党的理想信念，就是马克思主义真理信仰、共产主义远大理想和中国特色社会主义共同理想。这是中国共产党人的精神支柱和政治灵魂，也是保持党的团结统一的思想基础。

理想信念是共产党人精神上的“钙”。习近平总书记指出：“共产党人如果没有信仰、没有理想，或信仰、理想不坚定，精神上就会‘缺钙’，就会得‘软骨病’，就必然导致政治上变质、经济上贪婪、道德上堕落、生活上腐化。”历史和实践反复证明，一个政党有了远大理想和崇高追求，就会坚强有力，无坚不摧，无往不胜，就能经受一次次挫折而又一次次奋起；一名干部有了坚定的理想信念，站位就高了，心胸就开阔了，就能坚持正确政治方向，做到“风雨不动安如山”。

革命理想高于天。中国共产党从诞生之日起就把马克思主义写在自己的旗帜上，把实现共产主义确立为最高理想。在我们党九十多年的历史中，无数共产党人不惜流血牺牲，靠的就是这种信仰，为的就是这个理想。尽管他们也知道，自己追求的理想并不会在自己手中实现，但他们坚信，只要一代又一代人为之持续努力，一代又一代人为此作出牺牲，崇高的理想就一定能实现。任何一名在党旗下宣过誓的共产党员都必须铭记，为了理想信念，就应该去拼搏、去奋斗、去献出自己的全部精力乃至生命。

当前，大多数党员干部理想信念是坚定的，政治上是可靠的。同时，在我们的干部队伍中，也有的对共产主义心存怀疑，认为那是虚无缥缈、难以企及的幻想；有的不信马列信鬼神，从封建迷信中寻找精神寄托；有的甚至盲目崇拜西方社会制度和价值观念，对社会主义前途命运丧失信心；等等。信念不牢，地动山摇。理想信念动摇是最危险的动摇，理想信念滑坡是最危险的滑坡。一些党员干部出这样那样的问题，说到底是信仰迷茫、精神迷失。

（180）衡量一名党员干部是否具有坚定的理想信念，是有客观标准的。革命战争年代，检验一个干部理想信念坚定不坚定，就看他能不能为党和人民事业舍生忘死，能不能冲锋号一响立即冲上去，这样的检验很直接。今天，衡量一名党员干部理想信念坚定不坚定，就看他是否能在重大政治考验面前有政治定力，是否能树立牢固的宗旨意识，是否能对工作极端负责，是否能做到吃苦在前、享受在后，是否能在急难险重任务面前勇挑重担，是否能经得起权力、金钱、美色的诱惑。这样的检验需要一个过程，不是一下子、经历一两件事、听几句口号就能解决的，要看长期表现，甚至看一辈子。

理想信念不可能凭空产生，也不可能轻而易举坚守。要炼就“金刚不坏之身”，必须用科学理论武装头脑，不断培植我们的精神家园。要深入学习马克思主义基本理论，深入学习习近平新时代中国特色社会主义思想，把理想信念建立在对科学理论的理性认同上，建立在对历史规律的正确认识上，建立在对基本国情的准确把握上。教育引导全党牢记党的宗旨，挺起共产党人的精神脊梁，解决好世界观、人生观、价值观这个“总开关”问题，真正让理想信念成为心中的灯塔，做到虔诚而执着、至信而深厚。

4. 贯彻新时代党的组织路线

（181）正确的政治路线要靠正确的组织路线来保证。习近平总书记指出：“组织路线对坚持党的领导、加强党的建设、做好党的组织工作具有十分重要的意义。”

新时代党的组织路线是：全面贯彻习近平新时代中国特色社会主义思想，以组织体系建设为重点，着力培养忠诚干净担当的高素质干部，着力集聚爱国奉献的各方面优秀人才，坚持德才兼备、以德为先、任人唯贤，为坚持和加强党的全面领导、坚持和发展中国特色社会主义提供坚强组织保证。

党的力量来自组织。党的全面领导、党的全部工作要靠党的坚强组织体系去实现。我们党是按照马克思主义建党原则建立起来的，形成了包括党的中央组织、地方组织、基层组织在内的严密组织体系。

这是世界上任何其他政党都不具有的强大优势。基层党组织是党执政大厦的地基，地基固则大厦坚，地基松则大厦倾。针对一些基层党组织弱化、虚化、边缘化问题，要切实在打基础、补短板上下功夫。以提升组织力为重点，突出政治功能，把基层党组织建设成为宣传党的主张、贯彻党的决定、领导基层治理、团结动员群众、推动改革发展的坚强战斗堡垒。

贯彻新时代党的组织路线，建设高素质干部队伍是关键。要建立素质培养体系、知事识人体系、选拔任用体系、从严管理体系、正向激励体系，做好干部培育、选拔、管理、使用工作。坚持党管干部原则，坚持德才兼备、以德为先，坚持五湖四海、任人唯贤，坚持事业为上、公道正派，把“信念坚定、为民服务、勤政务实、敢于担当、清正廉洁”的好干部标准落到实处。坚持正确选人用人导向，匡正选人用人风气，突出政治标准，培养造就一支具有铁一般信仰、铁一般信念、铁一般纪律、铁一般担当的干部队伍。把严管和厚爱、激励和约束结合起来，为那些敢于负责、善于作为、实绩突出的干部撑腰鼓劲，坚决纠正“劣币驱逐良币”的逆淘汰现象。关心爱护基层干部。注重在基层一线和困难艰苦的地方培养锻炼年轻干部。

人才是实现民族振兴、赢得国际竞争主动的战略资源。要坚持党管人才原则，聚天下英才而用之，加快建设人才强国，努力建设一支矢志爱国奉献、勇于创新创造的优秀人才队伍。实行更加积极、更加开放、更加有效的人才政策，以识才的慧眼、爱才的诚意、用才的胆识、容才的雅量、聚才的良方，把党内和党外、国内和国外各方面优秀人才集聚到党和人民的伟大奋斗中来。深化人才发展体制机制改革，完善人才培养机制、改进人才评价机制、创新人才流动机制、健全人才激励机制，最大限度把广大人才的报国情怀、奋斗精神、创造活力激发出来。

（182）群团事业是党的事业的重要组成部分。必须从巩固党执政的阶级基础和群众基础的政治高度，加强对群团工作的领导，坚定不移走中国特色社会主义群团发展道路。要切实保持和增强党的群团工作的政治性，把群团组织所联系的群众最广泛最紧密地团结在党的周围。切实保持和增强群团组织的先进性，组织动员广大人民群众走在时代前列，真正成为党执政的坚实依靠力量、强大支持力量、深厚社会基础。切实保持和增强群团组织的群众性，努力为群众排忧解难，成为群众信得过、靠得住、离不开的知心人、贴心人。

5. 作风建设永远在路上

（183）党的作风就是党的形象，关系人心向背，关系党的生死存亡。习近平总书记指出："我们党作为马克思主义执政党，不但要有强大的真理力量，而且要有强大的人格力量。真理力量集中体现为我们党的正确理论，人格力量集中体现为我们党的优良作风。"我们党要在中国长期执政，对作风问题任何时候都不能掉以轻心。

在革命、建设、改革长期实践中，我们党始终要求全党同志坚持光荣传统、发扬优良作风，为党和人民事业不断前进提供了重要保障。党的十八大以来，以习近平同志为核心的党中央以踏石留印、抓铁有痕的劲头狠抓作风建设，制定和落实中央八项规定，在全党开展以为民务实清廉为主要内容的党的群众路线教育实践活动，在县处级以上领导干部中开展"三严三实"专题教育，推进"两学一做"学习教育常态化制度化，进一步解决党员队伍在政治、思想、组织、作风、纪律等方面存在的问题，推动党风政风为之一新，党心民心为之大振。

根据党的十九大部署，以县处级以上领导干部为重点，在全党开展"不忘初心、牢记使命"主题教育。要牢牢把握守初心、担使命，找差距、抓落实的总要求，牢牢把握深入学习贯彻习近平新时代中国特色社会主义思想、锤炼忠诚干净担当的政治品格、团结带领全国各族人民为实现伟大梦想共同奋斗的根本任务，努力实现理论学习有收获、思想政治受洗礼、干事创业敢担当、为民服务解难题、清正廉洁作表率的具体目标。

（184）作风问题核心是党同人民群众的关系问题。我们党来自人民、植根人民、服务人民，一旦脱离群众，就会失去生命力。加强作风建设，必须紧紧围绕保持党同人民群众的血肉联系，增强群众观念和群众感情，不断厚植党执政的群众基础。

要始终坚持走群众路线，坚决反对形式主义、官僚主义、享乐主义和奢靡之风。特别要看到，形式主义、官僚主义是目前党内存在的突出矛盾和问题，是阻碍党的路线方针政策和党中央重大决策部署贯彻落实的大敌。形式主义背后是功利主义、实用主义作祟，政绩观错位、责任心缺失。官僚主义背后是官本位思想，严重脱离实际、脱离群众。要把力戒形式主义、官僚主义摆在突出位置来抓，教育引导党员干部牢记党的宗旨，坚持实事求是的思想路线，树立正确政绩观，真抓实干，转变作风。

作风建设永远没有休止符。作风问题具有顽固性和反复性，形成优良作风不可能一劳永逸，克服不良作风也不可能一蹴而就。作风建设是攻坚战、持久战，既要以滚石上山、爬坡过坎的勇气，深化整治、见底见效，又要坚持抓常、抓细、抓长，锲而不舍、持之以恒。

6. 使纪律真正成为带电的高压线

（185）加强纪律建设是全面从严治党的治本之策。党要管党、从严治党，靠什么管，凭什么治？就要靠严明纪律和规矩。习近平总书记强调，党面临的形势越复杂、肩负的任务越艰巨，就越要把纪律建设摆在更加突出位置，坚持纪严于法、纪在法前，把纪律和规矩挺在前面。

党的纪律和规矩是党的各级组织、全体党员必须遵守的行为准则。纪律是成文的规矩，一些未明文列入纪律的规矩是不成文的纪律；纪律是刚性的规矩，一些未明文列入纪律的规矩是自我约束的纪律。党的规矩总的包括：党章是全党必须遵循的总章程，也是总规矩；党的纪律特别是政治纪律是全党必须遵守的刚性约束；国家法律是党员干部必须遵守的规矩，全党必须模范执行；党在长期实践中形成的优良传统和工作惯例，经过实践检验，约定俗成、行之有效，需要全党长期坚持并自觉遵循。

严明党的纪律，首先要严格遵守党章。党章是党的根本大法。认真学习党章、严格遵守党章，是全党同志的应尽义务和庄严责任。每一个共产党员都要牢固树立党章意识，自觉用党章规范自己的一言一行，在任何情况下都要做到政治信仰不变、政治立场不移、政治方向不偏。党员领导干部要把学习党章作为必修课，自觉学习党章、遵守党章、贯彻党章、维护党章，真正使党章内化于心、外化于行。

政治纪律是我们党最根本、最重要的纪律，是净化政治生态的重要保证。要把坚决做到“两个维护”作为首要政治纪律，决不允许在重大政治原则问题上、大是大非问题上同党中央唱反调，搞自由主义。坚持“五个必须”，必须维护党中央权威，决不允许背离党中央要求另搞一套；必须维护党的团结，决不允许在党内培植个人势力；必须遵循组织程序，决不允许擅作主张、我行我素；必须服从组织决定，决不允许搞非组织活动；必须管好领导干部亲属和身边工作人员，决不允许他们擅权干政、谋取私利。严肃查处“七个有之”问题，坚决防止党内形成利益集团攫取政治权力、改变党的性质，坚决防止山头主义和宗派主义危害党的团结、破坏党的集中统一。

（186）制定纪律是要执行的，必须使纪律真正成为带电的高压线。习近平总书记指出：“遵守党的纪律是无条件的，要说到做到，有纪必执，有违必查，而不能合意的就执行，不合意的就不执行，不能把纪律作为一个软约束或是束之高阁的一纸空文。”对违规违纪、破坏法规制度踩“红线”、越“底线”、闯

"雷区"的，要坚决严肃查处，不以权势大而破规，不以问题小而姑息，不以违者众而放任，不留"暗门"、不开"天窗"，坚决防止"破窗效应"。

惩前毖后、治病救人是我们党的一贯方针，也是党加强自身建设的历史经验。要把维护党的纪律严肃性和信任爱护干部统一起来，体现严管就是厚爱、治病为了救人。充分运用监督执纪"四种形态"，抓早抓小、防微杜渐。加强纪律教育，强化纪律执行，让党员干部知敬畏、存戒惧、守底线，习惯在受监督和约束的环境中工作生活。

7. 全方位扎牢制度的笼子

（187）制度事关根本，关乎长远。习近平总书记强调，推进全面从严治党，既要解决思想问题，也要解决制度问题。坚持思想建党和制度治党同向发力，推动党的制度优势更好转化为治国理政的实际效能。

把权力关进制度的笼子里。公权力姓公，也必须为公。只要公权力存在，就必须受到制约，否则就会被滥用。要合理确定权力归属，划清权力边界，厘清权力清单，扎细扎密扎牢制度的笼子。以党章为根本遵循，本着于法周延、于事有效的原则，制定新的法规制度，完善已有的法规制度，废止不适应的法规制度，加快形成覆盖党的领导和党的建设各方面的党内法规制度体系。制度建设重在管用、有效，牛栏关猫是不行的。

健全党和国家监督体系。自我监督是世界性难题，是国家治理的哥德巴赫猜想。全面从严治党的实践证明，我们党自我净化的机制是有效的，完全有能力解决自身存在的问题。要坚持党内监督没有禁区、没有例外，强化自上而下的组织监督，改进自下而上的民主监督，发挥同级相互监督作用，让日常管理监督与党员领导干部如影随形、不留空当。深化政治巡视，建立巡视巡察上下联动的监督网，继续健全派驻机构领导体制和工作机制，加强国家监察，形成纪律监督、监察监督、派驻监督、巡视监督“四个全覆盖”的权力监督格局。

制定制度很重要，更重要的是抓落实。如果不抓落实，只是写在纸上、贴在墙上、锁在抽屉里，制度就会成为稻草人。要坚持制度面前人人平等、制度执行没有特权、制度约束没有例外，坚决维护制度的严肃性和权威性，坚决纠正有令不行、有禁不止的行为，使制度成为硬约束而不是橡皮筋。引导广大党员干部牢固树立法治意识、制度意识、纪律意识，形成尊崇制度、遵守制度、捍卫制度的良好氛围。

8. 巩固发展反腐败斗争压倒性胜利

（188）腐败是社会毒瘤，是我们党面临的最大威胁。人民群众最痛恨腐败现象。如果任凭腐败问题愈演愈烈，最终必然亡党亡国。习近平总书记指出："不得罪成百上千的腐败分子，就要得罪十三亿人民。这是一笔再明白不过的政治账、人心向背的账！"

党的十八大以来，我们党以猛药去疴、重典治乱的决心，以刮骨疗毒、壮士断腕的勇气，坚定不移"打虎"、"拍蝇"、"猎狐"，不敢腐的目标初步实现，不能腐的笼子越扎越牢，不想腐的堤坝正在构筑，反腐败斗争已经取得压倒性胜利。但是，对反腐败斗争形势的严峻性和复杂性一点也不能低估。我们党全面领导、长期执政，党员干部时刻面临被"围猎"、被腐蚀的风险，腐败存量不少、增量仍在发生。现实一再表明，反腐败斗争不能退，也无处可退，必须坚定不移向纵深推进。反腐败斗争要持续保持高压态势，巩固发展压倒性胜利。

（189）我们党反腐败不是看人下菜的"势利店"，不是争权夺利的"纸牌屋"，也不是有头无尾的"烂尾楼"。必须一刻不停歇深入推进反腐败斗争，激浊扬清、固本培元，不断深化标本兼治。

标本兼治，关键在治，治是根本。必须坚持无禁区、全覆盖、零容忍，坚持重遏制、强高压、长震慑，有力削减存量、有效遏制增量。重点查处政治问题和经济问题相互交织的腐败案件，坚决打击在党内培植个人势力、结成利益集团、妄图攫取党和国家权力的阴谋行径。坚持“老虎”露头就要打、“苍蝇”乱飞也要拍，严厉整治发生在群众身边的腐败问题。深化反腐败国际合作，推进追逃防逃追赃一体化建设，以天罗地网断其后路、绝其幻想。大力加强反腐倡廉教育和廉政文化建设，筑牢拒腐防变思想道德防线，在全社会弘扬清风正气。

深化标本兼治，要着力构建不敢腐、不能腐、不想腐的体制机制。不敢腐，侧重于惩治和威慑，让意欲腐败者在带电的高压线面前不敢越雷池半步；不能腐，侧重于制约和监督，让胆敢腐败者在严格监督中无机可乘；不想腐，侧重于教育和引导，着眼于产生问题的深层原因，让人从思想源头上消除贪腐之念。不敢腐、不能腐、不想腐是一个有机整体，要打通三者内在联系，一体推进不敢腐、不能腐、不想腐，通过不懈努力换来海晏河清、朗朗乾坤。

十九、掌握马克思主义思想方法和工作方法

——关于新时代坚持和发展中国特色社会主义的能力建设

1. 把马克思主义哲学作为看家本领

（190）学哲学、用哲学，是我们党的一个好传统。习近平总书记指出："马克思主义哲学深刻揭示了客观世界特别是人类社会发展一般规律，在当今时代依然有着强大生命力，依然是指导我们共产党人前进的强大思想武器。"只有坚持辩证唯物主义和历史唯物主义，才能不断把对中国特色社会主义规律的认识提高到新的水平。要赢得优势、赢得主动、赢得未来，必须把马克思主义哲学作为自己的看家本领。

辩证唯物主义是马克思主义哲学的重要组成部分，是中国共产党人的世界观和方法论。学习和运用

辩证唯物主义，就要掌握世界统一于物质、物质决定意识的原理，坚持从客观实际出发制定政策、推动工作；掌握事物矛盾运动的基本原理，不断强化问题意识，积极面对和化解前进中遇到的矛盾；掌握唯物辩证法的根本方法，不断增强辩证思维能力，提高驾驭复杂局面、处理复杂问题的本领；掌握认识和实践辩证关系的原理，坚持实践第一的观点，不断推进实践基础上的理论创新。

历史唯物主义是马克思主义哲学的另一个重要组成部分，是关于人类社会发展一般规律的科学。学习和运用历史唯物主义，就要掌握社会基本矛盾分析法，把生产力和生产关系的矛盾运动同经济基础和上层建筑的矛盾运动结合起来观察，把社会基本矛盾作为一个整体来观察，全面把握整个社会的基本面貌和发展方向；掌握物质生产是社会生活的基础的观点，推动我国社会生产力不断向前发展，实现物的不断丰富和人的全面发展的统一；掌握人民是历史创造者的观点，坚持以人民为中心，做到发展为了人民、发展依靠人民、发展成果由人民共享。

2. 坚持实事求是

（191）实事求是，是马克思主义的根本观点，是中国共产党人认识世界、改造世界的根本要求，是党的基本思想方法、工作方法、领导方法。实践反复证明，坚持实事求是，就能兴党兴国；违背实事求是，就会误党误国。

实事求是，是毛泽东同志用中国成语对马克思主义世界观和方法论所作的高度概括。“实事”就是客观存在着的一切事物，“是”就是客观事物的内部联系，即规律性，“求”就是去研究。习近平总书记强调：“坚持实事求是，就是坚持一切从实际出发来研究和解决问题，坚持理论联系实际来制定和形成指导实践发展的正确路线方针政策，坚持在实践中检验真理和发展真理。”坚持实事求是，基础在于搞清楚“实事”，就是了解实际、掌握实情；关键在于“求是”，就是探求和掌握事物发展的规律。

实事求是作为党的思想路线，与党的群众路线相辅相成，在本质要求上完全统一。一方面，实事求是是在实践基础上认识世界的过程，这一过程要通过“从群众中来”才能实现，只有及时发现、总结、概括人民创造的新鲜经验，才能获得正确反映客观规律的真理性认识，才能制定出符合客观规律的科学决策。另一方面，实事求是又是在实践基础上改造世界的过程，这一过程要通过“到群众中去”才能实现，来自群众的正确意见和真理性认识只有为群众所掌握，才能转化为改造世界的实际行动。只有坚持群众路线，才能真正做到实事求是。

解放思想与实事求是是辩证统一的。只有解放思想，才能真正做到实事求是；只有实事求是，才是真正解放思想。实事求是永无止境，解放思想也永无止境。在新时代征程上，要进一步解放思想、实事求是，始终坚持真理、修正错误，勇于变革、勇于创新，永不僵化、永不停滞，在深入研究新情况、不断解决新问题的实践中增强本领、提高能力。

3. 提高科学思维能力

（192）我们党面对着十分复杂的国内外环境，肩负着繁重的执政使命，如果缺乏科学理论思维的有力支撑，是难以战胜各种风险和困难的，也是难以不断前进的。要提高战略思维、历史思维、辩证思维、创新思维、法治思维、底线思维能力，不断增强工作的科学性、预见性、主动性和创造性。

战略思维能力，就是高瞻远瞩、统揽全局，善于把握事物发展总体趋势和方向的能力。提高战略思维能力，要以小见大、见微知著，站在时代前沿和战略全局的高度观察、思考和处理问题，从政治上认识和判断形势，透过纷繁复杂的表面现象把握事物的本质和发展的内在规律，在解决突出问题中实现战略突破，在把握战略全局中推进各项工作。

历史思维能力，就是知古鉴今，善于运用历史眼光认识发展规律、把握前进方向、指导现实工作的能力。我们党一贯重视学习和总结历史，一贯重视借鉴和运用历史经验。提高历史思维能力，要加强对历史的学习，深刻把握历史规律、认清历史趋势、总结历史经验、牢记历史教训，在对历史的深入思考中做好现实工作、更好走向未来。

辩证思维能力，就是承认矛盾、分析矛盾、解决矛盾，善于抓住关键、找准重点、洞察事物发展规律的能力。提高辩证思维能力，要求我们客观地而不是主观地、发展地而不是静止地、全面地而不是片面地、系统地而不是零散地、普遍联系地而不是孤立地观察事物、分析问题、解决问题。要正确分析矛盾，在对立中把握统一、在统一中把握对立，克服极端化、片面化，善于运用辩证思维谋划经济社会发展。

创新思维能力，就是破除迷信、超越陈规，善于因时制宜、知难而进、开拓创新的能力。“明者因时而变，知者随事而制。”提高创新思维能力，要求人们从根本上打破迷信经验、迷信本本、迷信权威的惯性思维，破除因循守旧、思想僵化、形式主义和无所作为，以敢为人先的锐气，勇于开拓新的方向，在把握事物发展客观规律的基础上实现变革和创新。

法治思维能力，就是增强尊法学法守法用法意识，善于运用法治方式治国理政的能力。提高法治思维能力，要求增强法治观念，尊崇和遵守宪法法律，做到在法治之下、而不是法治之外、更不是法治之上想问题、作决策、办事情，自觉在法治轨道上运用法治思维和法治方式深化改革、推动发展、化解矛盾、维护稳定。

底线思维能力，就是客观地设定最低目标，立足最低点争取最大期望值的能力。提高底线思维能力，要求善于运用底线思维的方法，居安思危、未雨绸缪，凡事从最坏处着眼、向最好处努力，打有准备、有把握之仗，牢牢把握工作主动权，着力防范化解重大风险。习近平总书记强调："各种风险我们都要防控，但重点要防控那些可能迟滞或中断中华民族伟大复兴进程的全局性风险，这是我一直强调底线思维的根本含义。"

4. 保持战略定力

（193）战略问题是一个政党、一个国家的根本性问题。当今时代风云变幻，机遇和挑战并存，最需要的是战略定力。始终保持强大战略定力，在战略上判断准确、谋划科学、赢得主动，党和人民事业就会立于不败之地。缺乏足够战略定力，就容易出现心理上患得患失、行动上犹豫不决、决策上摇摆不定，错失发展机遇。

保持战略定力，要毫不动摇坚持和发展中国特色社会主义。在道路、方向、立场等重大原则问题上，旗帜要鲜明，态度要明确，不能有丝毫含糊。在前进道路上，要咬定青山不放松，坚持独立自主，既不走封闭僵化的老路，也不走改旗易帜的邪路，而是坚定不移走中国特色社会主义道路。

保持战略定力，要坚持稳中求进工作总基调，冷静观察、谨慎从事、谋定后动。大国治理强调政策的稳定性、延续性，切不可朝令夕改。随着改革向纵深推进，各种思想文化相互激荡，各种矛盾相互交织，各种诉求相互碰撞，各种力量竞相发声，必须始终保持清醒头脑，不为各种错误观点所左右，不为各种干扰所迷惑，从实际出发，以我为主，把握战略主动。

保持战略定力，要集中精力做好自己的事，坚定不移走和平发展道路。在复杂多变的国际局势中要平心静气、静观其变，不要因一时一事或某些人、某些国家的言论而受到影响，更不能掉入别人故意设置的各种陷阱，破坏和平发展环境，耽误和平发展大局。要善于审时度势、内外兼顾、趋利避害，从形势和条件的发展变化中把握方向、用好机遇、创造条件、驾驭全局，做到“任凭风浪起，稳坐钓鱼船”。

5. 坚持问题导向

（194）问题是时代的声音。坚持问题导向是马克思主义的鲜明特点。习近平总书记指出：“每个时代总有属于它自己的问题，只要科学地认识、准确地把握、正确地解决这些问题，就能够把我们的社会不断推向前进。”

问题无处不在、无时不有，关键在善不善于发现问题。要从历史和现实相贯通、国际和国内相关联、理论和实际相结合的宽广视角，聚焦我国发展和我们党执政面临的重大理论和实践问题，进行深入思考和全面把握。原则问题要旗帜鲜明，发展问题要方向清晰，难点问题要明确回答，实际问题要重点解决。

发现问题是前提，能不能正确分析问题更见功力。要善于具体问题具体分析，弄清楚哪些是体制机制弊端造成的问题，哪些是工作责任不落实造成的问题，哪些是条件不具备一时难以解决的问题。善于透过现象看本质，从繁杂问题中把握事物的规律性，从苗头问题中发现事物的倾向性，从偶然问题中揭示事物的必然性。善于抓主要矛盾和矛盾的主要方面，明确有效破解问题的主攻方向，带动全局工作，推进事业全面发展。

我们党领导人民干革命、搞建设、抓改革，从来都是为了解决中国的现实问题。要以解决问题为工作导向，瞄着问题去，追着问题走，善于把化解矛盾、破解难题作为打开局面的突破口。对事关战略全局、事关长远发展、事关人民福祉的紧要问题，要科学统筹、优先解决，确保取得实效。对一些带有共性、规律性的问题，要注意总结和反思，以利于更好前进。

6.重视调查研究

（195）调查研究是我们党的传家宝，是做好各项工作的基本功。习近平总书记指出：“调查研究是谋事之基、成事之道，没有调查就没有发言权，没有调查就没有决策权。”研究问题、制定政策、推进工作，刻舟求剑不行，闭门造车不行，异想天开更不行，必须进行全面深入的调查研究。

调查研究，是对客观实际情况的调查了解和分析研究，目的是把事情的真相和全貌调查清楚，把问题的本质和规律把握准确，把解决问题的思路和对策研究透彻。要重点处理好调查和研究两个环节的关系。从客观实际出发，对调查了解到的真实情况和各种问题，坚持有一是一、有二是二，既报喜又报忧，不唯书、不唯上、只唯实。在调查的基础上进行深入细致的思考，进行一番交换、比较、反复的工作，把零散的认识系统化，把粗浅的认识深刻化，直至找到事物的本质和规律，找到解决问题的正确办法。

开展调查研究，务求“深、实、细、准、效”。“深”，就是要深入群众，深入基层，善于与工人、农民、知识分子和社会各界人士交朋友，到田间、厂矿、群众和社会各层面中去解决问题。“实”，就是作风要实、轻车简从，真正做到听实话、摸实情、办实事。“细”，就是要认真听取各方面的意见，深入分析问题，掌握全面情况。“准”，就是不仅要全面深入细致地了解实际情况，更要善于分析矛盾、发现问题，透过现象看本质，把握规律性的东西。“效”，就是提出解决问题的办法要切实可行，制定的政策措施要有较强操作性，做到出实招、见实效。

调查研究要制度化经常化。坚持和完善重要决策调研论证制度，把调查研究贯穿决策的全过程，提高决策的科学化水平。领导干部要带头调查研究，不仅要“身入”基层，更要“心到”基层，不能走马观花、蜻蜓点水。要适应当今社会信息网络化的特点，拓展调研渠道、丰富调研手段、创新调研方式。过去常用的蹲点调研、解剖麻雀的调研方式，在信息化时代依然是管用的，可以有选择地开展。

7. 发扬钉钉子精神

（196）干事业好比钉钉子。钉钉子往往不是一锤子就能钉好的，而是要一锤一锤接着敲，直到把钉子钉实钉牢，钉牢一颗再钉下一颗，不断钉下去，必然大有成效。如果东一榔头西一棒子，结果很可能是一颗钉子都钉不上、钉不牢。要发扬钉钉子精神，不折腾、不反复，切实把工作干出成效来。

“政贵有恒，治须有常。”发扬钉钉子精神，就要一张蓝图绘到底。一张好的蓝图，只要是科学的、切合实际的、符合人民愿望的，就要一茬一茬接着干，干出来的都是实绩。当然，实践是不断发展的，我们的认识和工作也要与时俱进，看准了的要及时调整和完善，但不要换一届领导就兜底翻，更不要为了显示所谓政绩去另搞一套。领导干部要有“功成不必在我”的境界和“功成必定有我”的担当，正确处理大我和小我的关系，长远利益、根本利益和个人抱负、个人利益的关系，多做打基础、利长远的事，不搞脱离实际的盲目攀比，不搞劳民伤财的“形象工程”、“政绩工程”，真正做到对历史和人民负责。

“一分部署，九分落实。”要抓实、再抓实，不抓实，再好的蓝图只能是一纸空文，再近的目标只能是镜花水月。干事业不是做样子，不是做表面文章。任务一经确定，决不能搞一阵风、一下子，而是要发扬钉钉子精神，稳扎稳打向前走，过了一山再登一峰，跨过一沟再越一壑，积跬步以至千里。

8. 依靠学习走向未来

（197）我们党历来重视学习，这是推动党和人民事业发展的一条成功经验。在每一个重大转折时期，面对新形势新任务，我们党总是号召全党同志加强学习；而每次这样的学习热潮，都能推动党和人民事业实现大发展大进步。习近平总书记指出：“我们党依靠学习创造了历史，更要依靠学习走向未来。”

学习应该是全面的、系统的、富有探索精神的，既要抓住学习重点，也要注意拓展学习领域。要认真学习马克思主义基本理论，认真学习习近平新时代中国特色社会主义思想，不断补精神之钙、固思想之元、培为政之本。认真学习党的路线方针政策，学习党章党规和国家法律法规。加强对中国历史、党史国史、社会主义发展史和世界历史的学习，从历史中得到启迪、得到定力。这些既是领导干部开展工作要做的基本准备，也是很重要的政治素养。同时，还要坚持干什么学什么、缺什么补什么，结合工作需要学习经济、政治、文化、社会、生态、法律、科技、军事、外交等方面的知识，不断提高自己的知识化、专业化水平。

党员干部特别是领导干部担负着党和人民交付的重大职责，要真正把学习作为一种追求、一种爱好、一种健康的生活方式，做到自觉学习、主动学习、终身学习。要有“望尽天涯路”那样志存高远的追求，耐得住“昨夜西风凋碧树”的清冷和“独上高楼”的寂寞，静下心来通读苦读；要勤奋努力、刻苦钻研，下真功夫、苦功夫、细功夫，即使“衣带渐宽”也“终不悔”，“人憔悴”也心甘情愿；要坚持独立思考，学有所悟、学有所得，在学习和实践中“众里寻他千百度”，最终“蓦然回首”，在“灯火阑珊处”领悟真谛。

学习的目的全在于运用。读书是学习，使用也是学习，并且是更重要的学习。要通过学习增强工作本领、提高解决实际问题的水平。发扬理论联系实际的马克思主义学风，带着问题学，既向书本学习，又向实践学习；既向人民群众学习，向专家学者学习，也向国外有益经验学习。做到干中学、学中干，学以致用、用以促学、学用相长，千万不能夸夸其谈、陷于“客里空”。

好学才能上进。我们的干部要上进，我们的党要上进，我们的国家要上进，我们的民族要上进，就必须大兴学习之风，坚持学习、学习、再学习，坚持实践、实践、再实践。全党要来一个大学习，努力建设马克思主义学习型政党，推动建设学习大国。

用习近平新时代中国特色社会主义思想武装起来 夺取新时代中国特色社会主义伟大胜利 实现中华民族伟大复兴

（198）中国共产党之所以能够历经艰难困苦而不断发展壮大，很重要的一个原因就是我们党始终重视思想建党、理论强党，使全党始终保持统一的思想、坚定的意志、协调的行动、强大的战斗力。习近平新时代中国特色社会主义思想是当代中国马克思主义、二十一世纪马克思主义，是引领党和国家事业不断从胜利走向新的胜利的强大思想武器和行动指南。

理论创新每前进一步，理论武装就要跟进一步。坚持用习近平新时代中国特色社会主义思想武装全党、教育人民，对于统一思想认识、明确前进方向、凝聚奋进力量，实现社会主义现代化和中华民族伟大复兴，具有重大现实意义和深远历史意义。

（199）深入学习贯彻习近平新时代中国特色社会主义思想，必须在学懂弄通做实上下功夫，增进政治认同、思想认同、情感认同，切实做到学、思、用贯通，知、信、行统一。

要在学懂上下功夫。“懂”是前提。坚持读原著、学原文、悟原理，全面系统学、及时跟进学、深入思考学、联系实际学。深刻认识习近平新时代中国特色社会主义思想的时代意义、理论意义、实践意义、世界意义，深刻理解这一思想的核心要义、精神实质、丰富内涵、实践要求，深刻体悟这一思想彰显和贯穿的坚定理想信念、真挚人民情怀、高度自觉自信、无畏担当精神、科学思想方法。努力把每一点都领会深、领会透，做到知其言更知其义，知其然更知其所以然。

要在弄通上下功夫。“通”就是贯通。把学习领会习近平新时代中国特色社会主义思想同学习马克思列宁主义、毛泽东思想、邓小平理论、“三个代表”重要思想、科学发展观贯通起来，同学习党史、国史、社会主义发展史贯通起来，同进行伟大斗争、建设伟大工程、推进伟大事业、实现伟大梦想的实践贯通起来，同落实十八大以来党中央作出的各项战略部署贯通起来，准确把握这一思想的理论逻辑、历史逻辑、实践逻辑。

要在做实上下功夫。“实”是落脚点。大力弘扬马克思主义学风，紧密结合新时代新实践新要求，紧密结合思想和工作实际，强化问题导向、实践导向、需求导向，把自己摆进去、把职责摆进去、把工作摆进去，更加自觉地用习近平新时代中国特色社会主义思想指导解决改革发展稳定的重大问题、人民群众反映强烈的突出问题、党的建设面临的紧迫问题，切实把学习成效转化为推动党和国家事业发展的强大力量。

突出抓好领导干部这个“关键少数”。各级领导干部特别是高级干部岗位重要、责任重大，学习贯彻习近平新时代中国特色社会主义思想要有更高标准、更严要求。必须提高政治站位、树立历史眼光、强化理论思维、增强大局观念，带着信念学、带着感情学、带着使命学，自觉做习近平新时代中国特色社会主义思想的坚定信仰者、忠实实践者。要发挥好带学促学作用，以身作则、率先垂范，切实承担起组织推动学习贯彻的领导责任，抓好各级党组织的学习，抓好本地区本部门党员干部的教育培训，把学习贯彻延伸拓展到基层、覆盖到广大干部群众，形成一级抓一级、层层抓学习的良好局面。

青年是国家的未来。中华民族伟大复兴的中国梦终将在一代代青年的接力奋斗中变为现实。要坚持不懈用习近平新时代中国特色社会主义思想武装青年头脑，引导广大青年树立对马克思主义的信仰、对中国特色社会主义的信念、对中华民族伟大复兴中国梦的信心；引导广大青年掌握运用马克思主义立场观点方法观察分析问题，坚定正确政治方向，坚定听党话、跟党走的人生追求；引导广大青年积极投身新时代中国特色社会主义伟大事业，在实现中国梦的生动实践中放飞青春梦想，在为人民利益的不懈奋斗中书写人生华章！

深入学习贯彻习近平新时代中国特色社会主义思想，是一项长期的政治任务，是一个持续推进、常学常新、不断深化的过程，必须持之以恒、久久为功。要精心策划、周密安排，采取切实有效措施，推动学习贯彻往深里走、往实里走、往心里走，引导广大党员干部群众不断增强“四个意识”，坚定“四个自信”，做到“两个维护”，筑牢信仰之基、补足精神之钙、把稳思想之舵。

（200）坚持用习近平新时代中国特色社会主义思想武装头脑，根本目的在于指导实践、推动工作。当前，我们正处在实现“两个一百年”奋斗目标的历史交汇期。这是一个船到中流浪更急、人到半山路更陡的时候，面临的使命更光荣、任务更艰巨、挑战更严峻、工作更伟大。我们已经走过千山万水，但仍需跋山涉水。要引导广大党员干部群众清醒认识我国发展所处的新的历史方位，认清所肩负的历史使命和重大责任，更加自觉地把这一思想贯彻到现代化建设各领域，体现到党的建设各方面，落实到改造客观世界和主观世界全过程。

大道至简，实干为要。全党全国人民要更加紧密地团结在以习近平同志为核心的党中央周围，坚持以习近平新时代中国特色社会主义思想为指导，不忘初心、牢记使命，锐意进取、埋头苦干，乘着新时代的浩荡东风，为决胜全面建成小康社会、夺取新时代中国特色社会主义伟大胜利、实现中华民族伟大复兴的中国梦、实现人民对美好生活的向往继续奋斗！

图书在版编目（CIP）数据

习近平新时代中国特色社会主义思想学习纲要 / 中共中央宣传部编. -- 北京：学习出版社：人民出版社，2019.6
ISBN 978-7-5147-0921-6

Ⅰ. ①习… Ⅱ. ①中… Ⅲ. ①习近平新时代中国特色社会主义思想—学习参考资料 Ⅳ. ①D610

中国版本图书馆CIP数据核字（2019）第101891号

习近平新时代中国特色社会主义思想学习纲要

Xí Jìnpíng xīnshídài Zhōngguó tèsè shèhuì zhǔyì sīxiǎng xuéxí gāngyào

中共中央宣传部

责任编辑：边　极　任　民
技术编辑：纪　边
封面设计：杨　洪

出版发行：学习出版社　人民出版社
北京市崇外大街11号新成文化大厦B座11层（100062）
010-66063020　010-66061634　010-66061646
网　　址：http://www.xuexiph.cn
经　　销：新华书店
印　　刷：山东鸿君杰文化发展有限公司

开　　本：850毫米×1168毫米　1/32
印　　张：8.75
字　　数：148千字
版次印次：2019年6月第1版　2019年6月第2次印刷

书　　号：ISBN 978-7-5147-0921-6
定　　价：15.00元